10655890

Hoezo geen vrienden?

In de serie Brugboeken vind je goede verhalen die je laten nadenken over jezelf en anderen.
Achterin het boek diverse extra's, zoals informatie over de schrijver en tips om een boekbespreking te maken.

LEESNIVEAU

		ME	ME	ME	ME	ME		
AVI	S	3	4	5	6	7	P	
CLIB	S	3	4	5	6	7	8	P

schoolkamp | anders zijn | pesten

Toegekend door Cito i.s.m. KPC Groep

Tekst: Reina ten Bruggenkate
Illustraties omslag en binnenwerk: Helen van Vliet
Omslagontwerp en layout/dtp: Gerard de Groot

ISBN 978-90-437-0397-0
NUR 283
AVI M7

BRUGBOEK

Reina ten Bruggenkate

Hoezo geen vrienden?

1 Strafkamp

Dit wordt de allerverschrikkelijkste week van haar toch al zo supervervelende leven. Frederieke weet nu al dat ze over een paar dagen gillend gek zal zijn en waarschijnlijk klappertandend van ellende moet worden afgevoerd naar een gekkenhuis.

Haar ogen dwalen ongewild af naar Fabiënne, die als een springpoppetje op de voorste stoel in de bus op en neer zit te stuiteren en kakelt als een kip zonder kop. Kijk mij, kijk mij, ik ben zo geweldig interessant, zo waanzinnig populair, zo'n te gekke meid!

Frederieke slaat haar ogen ten hemel en ze kan maar één ding vurig hopen: dat Fabiënne deze week wordt overvallen door de hieperdepiepgriep.

Oh ja, nog even zwaaien naar pap en mam, die haar vanmorgen vroeg nog zo enorm stimulerend hebben toegesproken.

'Frederieke,' zei haar vader, 'je gaat nu ruim een week op schoolvakantie en je gaat het geweldig naar je zin hebben, of je nou wilt of niet!'

'En als ik nou de spetterpoep krijg, of de gele bultenuitslag, mag ik dan alsjeblieft onmiddellijk naar huis?', had ze voorzichtig geprobeerd.

'Nee lieverd, je bent tegen alle vreselijke ziektes ingeënt, dus alleen als je boven de negenendertig graden koorts

hebt, mag je ons bellen', antwoordde haar moeder onverstoorbaar.
'Dan ben ik allang dood', had Frederieke gemopperd. 'En dan hebben jullie achteraf spijt dat jullie me naar dat afschuwelijke strafkamp hebben gestuurd.'
Toen had mam er nog aan toegevoegd: 'Andere kinderen zouden er een moord voor doen als ze ruim een week in zo'n bosachtige omgeving mochten logeren. Kampeerboerderij de Albertushoeve schijnt echt een riant onderkomen te zijn.'
Lekker makkelijk om te zeggen, denkt Frederieke, want andere kinderen zitten niet ruim een week opgescheept met van die draken als Fabiënne en Wendelyn. Hoewel, nu ze er goed over nadenkt ... een moord is in dit geval eigenlijk wel een buitengewoon goed idee!
Moet je zien: daar staan Fabiënnes ouders inmiddels opgewonden bij de bus te praten met de vader en moeder van Wendelyn, en als de bus zich in beweging zet, werpen ze aanstellerige kushandjes naar hun dochters.
Het is niet verwonderlijk dat dergelijke ouders dit soort kinderen voortbrengen, denkt Frederieke, terwijl ze zelf met een nauwelijks zichtbaar hoofdknikje afscheid neemt van haar eigen ouders. Die mensen hebben hun dochters natuurlijk vanaf de geboorte dagelijks ingefluisterd dat zij de kroonprinsessen van deze wereld zijn. Het zit zeker in hun bloed of in het eten dat ze hun kinderen geven. Misschien geven ze hun lievelingetjes wel elke dag koninginnensoep. Waarschijnlijk zetten ze iedere avond een koninginnenkroontje op hun haren. Kijk nou, wat een dramatisch gedoe. De ouders van Fabiënne en Wendelyn blijven zelfs nog een tijdje naast de bus mee

rennen, gooien hun armen in de lucht en wapperen hysterisch met hun handen, alsof ze voor eeuwig afscheid nemen van hun dierbare schatjes.
Frederieke kan het niet langer aanzien en knijpt haar ogen stijf dicht tot ze sterretjes ziet, maar helaas: het opgewonden gegil van de prinsesjes op de voorste stoelen gaat nog door tot ze eindelijk de bocht om zijn.
Deze kampweek, waar iedereen in de klas zo naar uit heeft gekeken, wordt een afschuwelijke ervaring, weet Frederieke met grote zekerheid. Ze denkt koortsachtig na. Hoe kan ze hier in vredesnaam nog onderuit komen? De chauffeur met een banaan in de aanslag tot stoppen dwingen, of een ruit inslaan en dan keihard 'Help!' schreeuwen naar de fietsers op het rijwielpad? Of nu al overgeven en zeggen dat ze last heeft van een erfelijke reisziekte? Misschien kan ze maar het beste gewoon al die irritante kinderen negeren en doen alsof ze helemaal alleen in de bus zit.
Frederieke sluit haar ogen en in gedachten zit ze niet langer in de touringcar op weg naar het schoolkamp, maar in een raket op weg naar de maan. Oh nee, ze heeft een beter idee. De raket is geprogrammeerd om een doel te vernietigen: de bus waar al haar klasgenoten in zitten. Frederieke heeft altijd al een levendige fantasie gehad en het kost haar geen enkele moeite om de knop in haar hoofd om te zetten en zich te verplaatsen in een soort droomwereld.
Ongelooflijk hoe de raket, met haar als astronaut, de wolken doorklieft en recht op zijn doel afstevent. De autobus rijdt inmiddels op een lange tweebaansweg en met samengeknepen lippen zet Frederieke haar duim op

het mechanisme waarmee ze raketten kan afschieten. Nog één enkele seconde, dan ... Met een grijns van voldoening drukt Frederieke de knop in ...
'Hé, Frederieke, zit je weer te dagdromen?' Meester Marius ploft op de lege stoel naast haar neer en geeft goedmoedig een klapje op haar knie.
Meteen is ze terug in de werkelijkheid. Dat is balen, denkt ze. Nu heeft ze nóg niet kunnen zien hoe de touringcar met alle inzittenden aan gruzelementen werd geschoten!
'Waarom zit je hier zo moederziel alleen?', vraagt de meester. 'Heb je geen zin om bij de anderen te gaan zitten?'
Frederieke haalt onverschillig haar schouders op en vraagt: 'Naast wie dan wel?'
Meester Marius duwt zijn onderlip naar voren en na nagedacht te hebben, zegt hij: 'Eh, nou, bijvoorbeeld naast Amber?'
Amber is alleen maar geïnteresseerd in stompzinnige Nederlandstalige liedjes, wil Frederieke zeggen. Ze zit de hele dag met haar koptelefoon op en jengelt dan heel vals met de muziek mee. 'Amber zit altijd naast Yandara,' antwoordt ze, 'omdat ze hartsvriendinnen zijn. Ik heb nu eenmaal geen vrienden.'
Meester Marius laat zich niet zomaar afpoeieren. 'En Jojanneke dan?'
Jojanneke is een angstig vogeltje dat al wegvliegt als je 'boeh' roept, denkt Frederieke. Ze is doorschijnend en bleek, waarschijnlijk omdat ze thuis niet genoeg te eten krijgt, want haar ouders zijn van de macrobiotische club. Ze eten geen vlees en Jojanneke draagt zelfgebreide kleren

die nog ruiken naar natgeregende schapen. 'Jojanneke wiebelt altijd zo met haar benen,' zegt ze, 'en daar word ik draaierig van.'
Frederieke moet denken aan wat haar vader een keer had gezegd toen ze thuis klaagde over haar klasgenoten. 'Jij hebt altijd kritiek op anderen', zei hij, 'en je weet precies wat er mankeert aan andere kinderen. Eigenlijk lijk je soms op een roofvogel die vanuit de lucht zijn prooien bespiedt en die precies kan inschatten wat hun gewoontes zijn en wanneer hij kan toeslaan.' Dat vond ze een schitterend compliment, hoewel ze best begreep dat haar vader het zo niet bedoelde.
'Ik ken mijn pappenheimers', zegt meester Marius. 'Je kunt wel op iedereen wat aan te merken hebben, maar als jij je de hele week gaat zitten afzonderen, doe je jezelf ook geen plezier. Doe nou een keer gewoon gezellig mee met de anderen en gedraag je sociaal. Je mag dan wel de allerslimste van de klas zijn, maar je moet ook kunnen genieten van andere dingen dan leren. Zal ik anders voorstellen dat juffrouw Annelore naast je komt zitten?'
Juf Annelore is de stagiaire en ze is nog zo jong dat ze makkelijk kan worden aangezien voor een van de basisschoolleerlingen, maar dan wel eentje die een paar keer is blijven zitten.
Frederieke negeert stijfkoppig het aanbod. 'Ik heb niet gevraagd om zo'n suf schoolreisje met van die kinderachtige kinderen.' Ze kijkt naar Fabiënne en Wendelyn, die achterstevoren zitten, met hun knieën op de bank, en uitbundig kletsen met de meisjes op de tweede rij. En alle ogen zijn natuurlijk weer gericht op die twee klessebessen. 'Tja, wat moet ik nou met jou?' De meester veegt met

zijn hand over zijn kin. 'Weet je wat wij samen gaan afspreken?', zegt hij dan. 'Deze week wil ik je nergens in je eentje zien zitten. Als de andere kinderen iets gaan ondernemen, dan ben jij ook van de partij. En als er iets is waarover je ontevreden bent, dan kom je dat zeggen tegen mij of juf Annelore. De juf begrijpt meisjesdingen soms beter dan ik, weet je. En als het aan het eind van de week naar jouw mening een waardeloze kampweek is geweest, dan mag je een rauw ei op mijn hoofd kapot slaan.'
Frederieke schiet in de lach, of ze wil of niet. Ze ziet het al voor zich: de meester met eierstruif, druipend over zijn haren en wenkbrauwen. 'Oké, afgesproken', zegt ze grinnikend. 'Maar als ik u was, dan zou ik maar vast een dozijn eieren aanschaffen.'

2 Een achterlijk spel

'De meester heeft uitdrukkelijk gezegd dat we niet bij de spoorbaan mogen komen', zegt Frederieke.
'De meester heeft uitdrukkelijk gezegd ...', papegaait Diederik. 'Oh, wat vreselijk ondeugend van ons.'
Hij trekt er een zogenaamd keurig gezicht bij dat zó irritant is dat Frederieke hem wel een optater zou willen verkopen. Maar ze heeft de meester nu eenmaal beloofd dat ze met alles zal meedoen, dus ook met dit onderdeel: het verkennen van de omgeving.
Het is te hopen dat de omgeving aantrekkelijker is dan het vakantieonderkomen, denkt ze, want de kampeerboerderij is niet meer dan een triest samenraapsel van slaapvertrekken en een grote eetzaal, waar de zitbanken onder de strenge, lange tafels zijn geschoven. Het enige gezellige is de zithoek met de kleurige kussens bij de gigantische open haard, die is opgebouwd uit ruw hout en stoere bakstenen. Maar daar mogen ze volgens de kampeerboerderijbeheerder alleen maar zitten als de meester of de juf daarvoor toestemming heeft gegeven.
En toen volgden er een heleboel regeltjes waaraan ze zich moesten houden: niet in de slaapkamers rondhangen, geen rommel op de grond gooien, zelf je aardappels schillen voor het avondeten en vooral geen uitstapjes van de meisjeszaal naar de jongensslaapzaal of andersom.

Waarop die aanstellerige Fabiënne veel te overdreven reageerde met: 'Oh, jammer.'
Zelfs Wendelyn schaamde zich voor die opmerking, want ze gaf haar vriendin meteen een bestraffende por tegen haar arm.
Nadat ze hun overnachtingsspullen in de slaapzalen hadden gelegd, mochten ze de rest van hun onderkomen en het kampterrein gaan inspecteren. De meester gaf hun daarvoor een aantal vellen papier en pennen mee waarop ze de omgeving binnen een straal van vijfhonderd meter moesten uittekenen.
Diederik en Jasper lopen voorop en hebben het hoogste woord, zoals altijd, maar ze hebben nog geen streep op hun papier gezet. Frederieke natuurlijk wel. Ze heeft de kampeerboerderij aangegeven met een kruisje en iedere keer als ze in het bosrijke gebied ergens een bospad nemen, tekent ze de route op het papier.
Juf Annelore was eerst mee, maar toen Jojanneke niet lekker werd, besloot ze haar terug te brengen naar de kampeerboerderij, op voorwaarde dat de kinderen zich zouden houden aan de aanwijzingen van de meester.
'Beloven jullie dat?', vroeg ze nog.
'Natuurlijk, juf', antwoordden ze braaf.
Maar intussen zijn ze al veel verder weg dan vijfhonderd meter.
Ineens bevinden ze zich bij een spoorwegovergang, die beveiligd is met een paar gammele halve spoorbomen, een waarschuwingslicht en een alarmsysteem.
'Moet je kijken wat een oude rommel', zegt Jasper.
'Volgens mij hebben ze deze overgang sinds de Eerste Wereldoorlog niet meer vernieuwd.'

‘Misschien rijden hier al eeuwen geen treinen meer’, veronderstelt Diederik.
‘Natuurlijk wel’, reageert Frederieke snibbig. ‘Als er geen treinverkeer zou zijn, zou er wel gras tussen de rails groeien.’
Jasper loopt een eindje de spoorbaan op in de richting van het kleine stationnetje dat een slordige honderd meter verderop ligt. Tot ieders verbazing gaat hij ineens ruggelings tussen de rails liggen, met zijn armen als twee wieken van een molen naast zich. ‘Ik ben een sneeuw-engel’, roept hij met een zogenaamde meisjesstem en hij maait met zijn armen op en neer alsof het klapperende vleugels zijn. ‘Oh nee, ik ben een spoorengel.’
Diederik begint opgewonden op het spoor te springen, met zijn lange, houterige benen in zijn korte broek, zodat het net lijkt alsof hij zo’n ouderwets trekpoppetje is waarvan je de benen kunt laten bewegen door aan het touwtje te trekken dat daartussen bungelt.
‘Doe even normaal,’ zegt Frederieke, ‘straks komt er een trein en worden jullie hartstikke plat gereden.’
‘Oh, wat griezelig’, roept Diederik en hij doet opnieuw zo overdreven dat Frederieke haar afkeer voor hem nauwelijks kan verbergen.
Het gespring op de spoorrails ziet er belachelijk uit, maar de andere jongens uit de klas vinden het kennelijk ontzettend stoer. Ricardo en Melvin staan binnen de kortste keren ook op de treinrails te balanceren en doen ‘tjoeketjoek’ met hun armen. Dat ziet er dan wel weer grappig uit, vooral als ze er de bijbehorende geluiden bij maken. Even later rapen ze stenen op die op de spoor-baan liggen en keilen die over de rails tot ze hard op het

staal terechtkomen en dan omhoog stuiteren. Het geluid dat de ketsende stenen op het ijzeren spoor veroorzaken klinkt metaalachtig en echoot na in de verder stille omgeving.
Fabiënne en Wendelyn staan aan de kant en smoezen met elkaar. Hoe het mogelijk is begrijpt Frederieke niet, maar Fabiënne vindt Diederik blijkbaar méér dan leuk, en als hij iets uitsloverigs doet, wordt ze altijd heel giechelig.
'Kijk uit, Diederik,' roept Fabiënne, 'daar heb je de trein!'
Diederik schrikt zichtbaar en holt struikelend naar de kant. Maar dan ziet hij dat hij in de maling is genomen door de meisjes. Hij recht zijn rug en doet alsof hij een grapje maakte.
'Hahaha,' schaterlacht Fabiënne, 'geef het maar toe, je schrok je echt een bult.'
'Helemaal niet waar,' doet Diederik verontwaardigd, 'ik deed natuurlijk maar alsof. Blijven jullie maar lekker aan de kant staan, want jullie zijn zelf te schijterig om mee te doen.'
Dat laat Fabiënne zich geen tweede keer zeggen en ze trekt haar vriendin mee aan haar arm.
Frederieke zucht als ze merkt dat ze als laatst overgeblevene aan de kant staat. Nou ja, op Victor na, die nog maar kortgeleden op school is gekomen en die nog helemaal geen aanstalten heeft gemaakt om vriendjes te worden met zijn klasgenoten. Hij tuurt een beetje wazig in de verte en trommelt enigszins afwezig met zijn vingers tegen zijn wangen.
Dit is nou precies waar ze al bang voor was, dat haar

klasgenoten weer van die sullige grappen uithalen en dat er dan niemand is die ...
Ting ting ting, gilt het alarmsysteem van de spoorwegovergang hysterisch en vrijwel tegelijkertijd gaan de automatische, halve overwegbomen naar beneden. De meisjes gillen geschrokken en rennen naar de neergaande spoorbomen. Fabiënne en Wendelyn kunnen nog net op tijd gebukt onder de spoorbomen door glippen en kijken zenuwachtig achterom naar de jongens.
Jasper, die al die tijd heeft gedaan of hij een middagdutje tussen de rails deed, weet niet hoe snel hij overeind moet krabbelen en sleurt Diederik mee. Maar Ricardo en Melvin staan tegen elkaar aan te duwen en trekken en lachen om het hardst.
'Wat had je nou?', schreeuwt Melvin, die altijd nog een streepje stoerder wil lijken dan zijn vriend. 'Durf je nou ineens niet meer?'
De meisjes zien wel in dat de tijd voor een geintje allang voorbij is en gillen aan de kant dat de jongens moeten opschieten. 'Jongens, daar heb je de trein!'
Het geschreeuw van de meisjes wordt echter overstemd door het gejaagde alarmsignaal dat steeds harder gaat klinken. De trein dendert in de richting van de spoorwegovergang, maar Ricardo en Melvin staan nog steeds te dollen op de rails en hebben meer oog voor elkaar dan voor de aanstormende trein.
De machinist van de naderende trein heeft inmiddels het onverantwoordelijke gestoei op de rails gezien en schakelt de tyfoon in. Het langgerekte waarschuwingssignaal daaruit klinkt zo alarmerend dat sommige kinderen aan de kant van schrik hun handen voor de oren slaan. Luid

toeterend stormt de trein op de spoorwegovergang af, met een snelheid die veel groter is dan ze van een afstandje hebben kunnen vermoeden. Wanhopig heeft de machinist de remmen in werking gesteld, zodat de trein vaart mindert, maar de snelheid van de trein is zo hoog dat hij onmogelijk nog op tijd tot stilstand kan worden gebracht. Het gevaarte op de rails wordt binnen de kortste keren groter en groter en lijkt te veranderen in een alles vermorzelend monster.
Pas op het allerlaatste ogenblik stuiven de jongens op het spoor uiteen. Het is alsof een lawine van geluid zich op hen neerstort en de zuigkracht van de voorbij razende trein is zo groot, dat het lijkt of ze papieren poppetjes in een windtunnel zijn. Intussen gilt het alarmsysteem van de overgang onophoudelijk.
Frederieke durft niet te kijken. Dit achterlijke spel van de jongens kan nooit goed zijn afgelopen. Haar hart bonkt zo hard dat ze het bloed in haar oren kan horen suizen.
Heel even lijkt het doodstil, als een gat in de tijd, en dan breekt het geschreeuw van haar klasgenoten door de stilte heen.

3 Geheim

Melvin ligt aan hun kant van het spoor, met zijn armen om zijn hoofd geklemd, alsof hij verwacht dat de alles vernietigende klap nog komt. Maar waar is Ricardo?
Amber en Yandara hebben zich aan elkaar vastgeklampt en huilen met langgerekte uithalen, en Fabiënne en Wendelyn zitten ineengedoken op hun hurken, met het gezicht afgewend van de plek des onheils.
'Waar is Ricardo?', schreeuwt Jasper hysterisch, terwijl hij de trein met zijn ogen volgt, omdat ook hij ervan overtuigd is dat het ijzeren monster zijn klasgenoot heeft meegesleurd.
Diederik staat voorovergebogen terwijl hij zijn knieën vasthoudt en hij staart nadrukkelijk naar de grond, alsof hij zich wil vastklampen aan de enige zekerheid die hij heeft: de bodem onder zijn voeten.
De overwegbomen gaan schoksgewijs weer omhoog, maar het zenuwachtige alarm jankt nog een tijd door.
Daar! Aan de overkant van het spoor zien ze Ricardo, die op zijn rug ligt, wijdbeens en doodstil.
Als het alarmerende geluid plotseling zwijgt, is Jasper de eerste die de oversteek waagt en bij Ricardo neerknielt.
Sommigen staan nog aan de grond genageld van schrik.
Dan volgen er meer kinderen, maar allemaal zijn ze als de dood voor wat ze zullen aantreffen.

Wat zal de meester zeggen, denkt Frederieke, als ze hem moeten opbiechten dat Ricardo dood is. En wat zullen zijn ouders een verdriet hebben ... de begrafenis ... Dat beeld van die aanstormende trein krijgt ze nooit meer van haar netvlies af. Honderden gedachten vechten om voorrang in haar hoofd, en de ene is nog gruwelijker dan de andere.
Plotseling, tot haar stomme verbazing, stommelt Ricardo overeind, een beetje zwalkend alsof hij dronken is, en daarna, de dwaas ... steekt hij zijn armen de lucht in alsof hij zojuist een voetbalwedstrijd heeft gewonnen.
Dan gebeurt er iets eigenaardigs ... Amber stormt op hem af, geeft hem een klap midden in zijn gezicht en begint nog harder te huilen. Ze zakt neer op de grond en is niet tot bedaren te brengen. Haar vriendin Yandara slaat een arm om haar heen en probeert haar te troosten, terwijl ze verwijtend in de richting van Ricardo en Melvin kijkt.
Daar staan ze met zijn allen; zeer hevig geschrokken en niet wetend hoe ze zichzelf een houding moeten geven. Ricardo doet nog een poging om enigszins stoer te lijken, maar aan zijn gezicht kun je zien dat ook hij zich maar al te goed bewust is van zijn stompzinnige en gevaarlijke actie.
'We moeten terug,' zegt Frederieke, en ze hoort zelf hoe bibberig haar stem klinkt, 'voor de meester ontdekt dat we hier zijn geweest.'
'Als jij maar je mond houdt,' zegt Diederik dan ineens fel, 'want de meester hoeft helemaal niet te weten wat er is gebeurd.'

Niemand heeft hem zien aankomen, maar ineens staat er een oudere man met een hond bij het groepje kinderen. 'Zijn jullie helemaal krankzinnig geworden?', barst hij onmiddellijk los. 'Verlangen jullie een vroegtijdige dood of zo? Denken jullie soms dat die spoorbomen en alarmsignalen er alleen maar voor de lol zijn?'
Ricardo buigt zijn hoofd en kijkt vanonder zijn wenkbrauwen steels naar de tierende voorbijganger, die rood aanloopt van woede.
'Wat zijn jullie voor stelletje onverantwoordelijke kleuters, en waar is jullie begeleider eigenlijk?', raast de man verder, terwijl zijn hond, geschrokken door de plotselinge stemverheffing van zijn baas, luid begint te blaffen. 'Waar komen jullie vandaan?'
'We zijn op kampweek en we logeren in de Albertus...'
Maar voor Frederieke meer kan zeggen, heeft Diederik haar al de mond gesnoerd.
'Er is toch niets gebeurd?', zegt hij.
'Niets gebeurd?', herhaalt de man woedend, terwijl hij zijn opgewonden blaffende hond aan de riem in toom probeert te houden. 'Dank je de koekoek! Ik woon daar' – hij wijst naar een woonhuis met een opvallend rieten dak – 'en ik heb alles gezien. Ik was net naar buiten gekomen om de hond uit te laten. Dat er niets is gebeurd, is uitsluitend te danken aan die oplettende treinmachinist, stelletje onverlaten. Als hij niet zo fors had geremd, dan hadden jullie nu in een paar doodskisten afgevoerd kunnen worden. Jullie moesten je driedubbel dwars doodschamen.'
'Ik heb eerlijk gezegd geen zin in zo'n preek', zegt Melvin op een droge toon, alsof hij een standje krijgt

voor het pikken van een snoepje uit de snoeppot.
Zijn opmerking heeft een verrassend effect op de woedende man. Met een ruk draait hij zich om en met strakke passen loopt hij weg, zijn hond meetrekkend aan de riem.
Frederieke kijkt hem na en weet dat de man zichzelf alleen maar wilde behoeden voor de gevolgen van zijn eigen boosheid. Met een beetje minder zelfbeheersing had hij Melvin ongetwijfeld een ontzettende dreun voor zijn hoofd gegeven.

'We spreken één ding af,' zegt Diederik samenzweerderig als ze halverwege de terugweg zijn, 'we zwijgen hierover als het graf en wie zijn mond toch voorbijpraat, die pakken we.'
Het is stil in de groep; zijn dreigende woorden blijven even als een donderwolk boven hun hoofden hangen.
'Afgesproken?', vraagt Diederik.
Zijn klasgenoten knikken zwijgend en lopen stil achter elkaar. Amber en Yandara hebben elkaar een hand gegeven en staren naar de grond.
Diederik houdt zijn pas in en herhaalt op dwingende toon zijn vraag: 'Afgesproken dat we hier nooit met een woord over zullen reppen tegenover anderen?' Hij steekt zijn hand uit naar Ricardo en Melvin en maakt met zijn hoofd een uitnodigend gebaar naar de anderen. 'Kom op, allemaal beloven bij eh ... de gezondheid van je ouders dat dit geheim nooit uit zal komen, op straffe des doods!'
Wat een flauwekul, denkt Frederieke, zoiets heeft hij zeker een keer gelezen in een van die kinderachtige

cartoonstrips die hij altijd zit te bekijken. 'Op straffe des doods? Lekker overdreven', zegt ze met een boosaardig lachje naar Diederik.
'Beloven!', zegt Diederik met een nijdige blik naar haar. 'En jij vooral tuthola, want je moet niet denken dat je zo intelligent bent met je hoogbegaafdheid of zo.'
Daar gaan we weer, zucht Frederieke inwendig, altijd die opmerkingen over haar hoogbegaafdheid. Alsof zij daar zelf voor gekozen heeft. Ze heeft toch zeker niet haar eigen hersens ontworpen? Weten ze niet hoe vervelend het is als je alles allang begrijpt en de andere leerlingen zitten nog met een wazige blik naar het schoolbord te staren?
Een voor een leggen de kinderen hun handen op de uitgestoken vuisten van Diederik, Ricardo en Melvin, tot er een slordige stapel van samengebrachte handen is. Diederik zegt het voor: 'Ik beloof hierbij dat ik nooit zal praten over het gedoe met de trein, op straffe des doods.'
Sommigen zeggen het duidelijk hardop, een paar anderen mompelen hem na, maar Frederieke beweegt alleen haar lippen en doet alsof; ze laat zich niets gezeggen door zo'n opstoker als Diederik.
'En dan nu als de wiedeweerga terug naar de kampeerboerderij', zegt Diederik als hij opgelucht adem heeft gehaald. 'Welke richting moeten we eigenlijk op?'
Meteen is het duidelijk dat niemand aantekeningen heeft gemaakt en dat Frederieke de enige is die nauwkeurig heeft bijgehouden hoe ze op de heenweg zijn gelopen.
Na hooguit vijftien minuten duikt het terrein van de kampeerboerderij voor hen op.
'Wacht even', zegt Diederik, terwijl hij een laatste

minachtende blik op Frederiekes getekende kruisjes en wegaanduidingen werpt. Dan, terwijl hij haar dreigend aankijkt, scheurt hij tergend langzaam het vel papier in honderden stukjes en gooit ze in de lucht, waar ze doelloos neerdwarrelen op het bospad. 'Dat kunnen we niet gebruiken, dat de meester aan de hand van jouw aantekeningen begrijpt waar we zijn geweest', zegt hij grommend. 'Dus jammer voor jou, maar nu moet je maar even net zo "dom" zijn als wij. Nog één keer: ik beloof hierbij dat ik nooit zal praten over het gedonder met de trein, op straffe des doods.'
'Ik beloof hierbij', praat de hele groep hem na, 'dat ik nooit zal praten over ...'
Dan wordt hun samenzwering plotseling onderbroken door meester Marius, die naar buiten komt gestormd met juf Annelore in zijn kielzog, en roept: 'Waar zaten jullie in vredesnaam al die tijd? Konijnenkeutels nog aan toe, jullie hadden een uur om de omgeving te verkennen! Zo ingewikkeld kan dat toch niet zijn?'

4 De verschrikkelijke

Het lijkt wel of iedereen in de klas een beetje gek is geworden, want allemaal praten ze in een soort geheimtaal. Frederieke was er natuurlijk weer niet bij toen de geheime codes werden afgesproken, maar ze vindt het allemaal zo doorzichtig dat ze niet snapt dat de meester niet in de gaten heeft dat ze een groot geheim proberen te verbergen. Als begroeting sissen klasgenoten '*SP*' naar elkaar en vervolgens tikken ze tegen hun rechteroor.
SP en *oor* is dus *spoor*, begrijpt ze onmiddellijk. Daarna maken ze een kruis over hun mond, alsof ze er een pleister overheen plakken. Niet praten over het spoor dus.
'Wat een kinderachtig gedoe', mompelt Frederieke. Maar diep in haar hart vindt ze het helemaal niet leuk dat de klasgenoten haar niets hebben verteld van de geheime tekens en dat ze haar buitengesloten hebben, zoals altijd. Diederik en Jasper gaan zelfs zo ver dat ze om de haverklap lopen te sissen en constant tegen hun oor tikken, zelfs als ze buiten op het sportveldje tegen een voetbal lopen te trappen.
En Fabiënne en Wendelyn? Die hebben nu een mooie aanleiding om de jongens op te zoeken en ze doen net alsof zij de belangrijkste leden zijn van een geheim genootschap.

De enige die niet meedoet aan de coderage is Victor, maar die is toch al een buitenbeentje. Sinds hij een paar maanden geleden op school is gekomen, heeft hij eigenlijk nog niets over zichzelf verteld en niemand heeft hem iets gevraagd. Victor heeft een afwezige blik in zijn ogen, is altijd als laatste klaar met de opdrachten op school en vergeet elke maandag zijn gymspullen mee te nemen. Soms, als hij weer eens wanhopig zit te zoeken naar zijn schriften, of als hij thuis zijn brood heeft laten liggen, maken ze in de klas grapjes over hem.
'Victor is een beetje dom', kan Wendelyn op zo'n geniepige toon zeggen en dat woordje 'dom' spreekt ze dan heel nadrukkelijk uit, waarbij ze haar lippen bij de laatste letter lang op elkaar geperst laat.
Van een afstandje bekijkt Frederieke hem voor het eerst eens goed. Victor zit langs het voetbalveldje waar hij gedachteloos zit te plukken aan het gras. Zijn lange haar valt bijna tot over zijn ogen en het hele gedoe met die geheimtaal lijkt volledig aan hem voorbij te gaan. Hij lijkt een klein beetje op een romantische dichter, vindt ze. Misschien zit zijn hoofd wel vol met prachtige gedichten en heeft hij daarom helemaal geen ruimte voor typische jongensdingen, zoals voetballen en stoeien.

Het pesten begint nadat meester Marius een dag later zijn klas bijeen heeft geroepen om een fikse donderpreek af te steken. Hij heeft begrepen, zegt hij, dat ze bij de spoorwegovergang zijn geweest en dat ze daar levensgevaarlijke fratsen hebben uitgehaald.
'Zijn jullie helemaal van de ratten besnuffeld?', tiert de meester en hij ziet zo pimpelpaars van woede dat ze

allemaal bang zijn dat hij zal ontploffen. 'Hier gaan we de komende week nog uitgebreid over praten, net zolang tot jullie begrijpen dat jullie met je leven hebben gespeeld. Ik kan dit niet tolereren en als ik merk dat jullie je nog één keer misdragen, pakken we onze spullen en vertrekken we onmiddellijk weer naar huis. Dan is het jammer maar helaas, dan moeten de goeden maar onder de kwaden lijden.'

Ze zijn allemaal zo vreselijk geschrokken van zijn uitbarsting, dat ze elkaar nauwelijks durven aan te kijken. Maar Frederieke ziet intussen wel hoe geniepig Diederik naar haar zit te loeren, alsof zíj er iets aan kan doen dat de meester kennelijk plotseling helderziend is geworden.

'Hoe kan hij nou weten dat we daar zijn geweest?', fluistert Fabiënne achter haar hand.

Wendelyn knikt met een hoofdbeweging naar Frederieke. 'Wat denk je? Zíj natuurlijk!'

'Doe even normaal,' antwoordt Frederieke, 'waarom zou ik?'

'Omdat je altijd de beste van de klas wilt zijn', zegt Wendelyn met een hatelijke blik in haar ogen, 'en omdat je op ons neerkijkt.'

De enige steun die Frederieke krijgt, komt uit volkomen onverwachte hoek, van de zwijgzame Victor, de zonderling die nooit een overbodig woord spreekt. 'Zit haar niet zo te zieken', zegt hij. 'Als zij toch zegt dat ze niet heeft gekletst, dan is dat zo.' Daarna loopt hij gewoon door, zonder te letten op de verbouwereerde gezichten van Wendelyn en Fabiënne, en dat vindt Frederieke eigenlijk ontzettend stoer van hem.

En nu zit Frederieke in haar eentje op de meisjesslaapzaal en zoekt ze, tegen beter weten in, wanhopig naar haar badpak. Ze heeft haar hele weekendtas doorgeploegd en zelfs onder haar dekens gekeken, hoewel ze zeker weet dat haar badpak daar onmogelijk kan liggen.
De anderen staan al op het voorterrein van de kampeerboerderij te wachten en roepen onophoudelijk haar naam, waarbij ze iedere lettergreep ervan benadrukken.
'Fre-de-rie-ke, Fre-de-rie-ke.'
Krijg allemaal de tropenkolder, denkt ze nijdig. Ze vindt zwemmen toch al oervervelend en zelfs als de mussen van het dak vallen van de hitte, dan nog haat ze die propvolle zwembaden.
'Hè, hè, eindelijk je zwempak gevonden?', vraagt de meester als ze naar buiten komt slenteren.
Frederieke knikt vaag en weigert hardnekkig naar de andere kinderen te kijken, want die begrijpen natuurlijk maar al te goed dat er geen badpak te vinden is, simpelweg omdat ze dat kledingstuk zelf hebben verstopt. Om de een of andere duistere reden geven ze haar de schuld van het feit dat meester Marius op de hoogte is van hun ondoordachte actie op de spoorbaan. Of eigenlijk weet ze wél hoe dat komt: Diederik, die ontzettende hark, heeft hun dat natuurlijk ingefluisterd, omdat hij zo'n gruwelijke hekel aan haar heeft. Nou, het maakt me geen sikkepit uit, denkt Frederieke, ze geloven maar wat ze willen. Maar intussen is ze wel zo chagrijnig als een uitgeperste citroen.
De meester heeft voor fietsen gezorgd, maar omdat er niet genoeg fietsen zijn, moeten sommige kinderen bij iemand achterop zitten. En alsof het zo moet zijn: voor

Frederieke is er uiteraard geen plaats meer en ze moet op de bagagedrager bij de meester. Veel dramatischer kan het nu niet worden, denkt ze.
Ze zet haar vrijwel lege rugtas op haar schoot en verzinkt in gedachten. Als ze dit had geweten, had ze een lading spijkers meegebracht die ze nu op listige wijze maar met royale hand zou rondstrooien, zodat de banden van hun fietsen een voor een in de puntige spijkers zouden rijden om daarna met een zucht van overgave leeg te lopen.
'Zit je lekker?', vraagt de meester.
Frederieke trekt geërgerd haar wenkbrauwen tot een boze frons. Praat alsjeblieft niet tegen me, denkt ze, anders denken ze helemaal dat ik een valse overloper ben.

Het is warm, maar allesbehalve tropisch en Frederieke kijkt met verbazing toe hoe de kinderen van haar klas het zwembad bestormen.
Het is nota bene een búítenbad en het zit nu al stampvol met schreeuwende en spetterende kinderen. Nou, lekker gefeliciteerd hoor, met jullie gepoedel in dat vrieskoude water, denkt ze wraaklustig.
Op haar dooie akkertje loopt ze achter de joelende kinderen aan, die allemaal staan te trappelen om een longontsteking op te lopen. Zij niet, zij gaat lekker dat driehonderdvijfentwintig pagina's tellende boek uitlezen dat ze van de bibliotheek heeft meegebracht.
Het grootste voordeel is dat ze zich nu niet hoeft om te kleden, en nog heerlijker is het dat ze straks niet haar kleren hoeft aan te trekken over haar nog natte, stroeve huid.

Net als ze zich met het boek op een ligstoel op het terras voor de toezichthoudende ouders heeft genesteld, komt de meester op haar af lopen.
'Hé, Frederieke, waarom kleed jij je niet om?', wil hij weten.
Ze schudt haar hoofd en mompelt bijna onverstaanbaar: 'Geen zin vandaag.' Ze gaat hem nu echt niet vertellen dat ze helemaal geen badpak bij zich heeft, omdat ze het mikpunt is van kinderachtige pesterijtjes.
Meester Marius spreidt zijn handen in een gebaar van onmacht. 'Goed, jij je zin,' moppert hij, 'maar kom dan achteraf niet bij me klagen dat je een waardeloze week hebt gehad.'

De kinderen in het zwembad maaien met hun armen door het water en zoals te verwachten was, probeert Fabiënne zoveel mogelijk in de buurt van Diederik te komen. Ze zwemt een klein stukje onder water en als ze vlak bij hem is, komt ze boven en zwaait met een hoofdruk haar lange haren naar achteren, zodat er een gordijn van water ontstaat. Zoals je ongeveer ziet in reclamefilmpjes met verleidelijke filmsterren die een shampoomerk aanprijzen. Het is bijna te komisch voor woorden, vindt Frederieke als ze het tafereel stiekem gadeslaat, want Fabiënne heeft absoluut niet in de gaten dat Diederik niet háár, maar Amber leuk vindt. Van een afgeluisterd gesprek tussen Amber en haar hartsvriendin Yandara, weet Frederieke inmiddels allang dat Amber die uitslover van een Diederik maar een engerd vindt. Amber is al tijden in stilte verliefd op Ricardo, de grootste showbink van de klas met zijn grote mond.

Plotseling begrijpt Frederieke waarom Amber haar favoriet een klap in zijn gezicht gaf, nadat hij bijna door de trein platgereden was. Ze was zich natuurlijk een ongeluk geschrokken toen ze dacht dat hij op de voorkant van de voorbijrazende trein was vastgeplakt.
Amber is eigenlijk best aardig, vindt Frederieke, ook al is ze verslingerd aan die vreselijke Nederlandstalige liefdesliedjes die ze op haar iPod heeft staan.
Hup, daar staan Melvin en Ricardo weer op de kant om met een spetterend bommetje in het water te belanden. En je kunt er op wachten ... ja hoor, daar moet Diederik natuurlijk weer overheen met een nog potsierlijker sprong in het diepe. Kreun ... wat een stijve hark is die Diederik toch. Hij dénkt dat hij de aanvoerder van de klas is, alleen maar omdat hij de grootste van allemaal is, maar in werkelijkheid is hij een zielenpiet. Fabiënne heeft echt poep in haar ogen als ze hem leuk vindt, denkt Frederieke.
'Hé, Frederieke,' schreeuwt Diederik vanuit het water, 'moet je niet je sexy bikini aantrekken?' Hij lacht balkend als een ezel en mept dan zo hard met zijn hand schuin op het wateroppervlak dat de spetters precies op de bladzijden van haar zojuist geopende boek terechtkomen.
Genoeg geleden! Frederieke gaat staan, legt haar leesboek in de ligstoel en loopt uiterst beheerst weg van het lawaaiige zwembad. Misschien vindt ze, als door een wonder, ergens een mes en kan ze een voor een alle fietsbanden lek steken.
Ineens wordt haar aandacht getrokken door Victor, die aangekleed op zijn hurken bij de fietsenstalling zit. Van een afstandje kijkt Frederieke naar hem, maar Victor

heeft helemaal niet in de gaten dat hij wordt bespied. Zijn rugtas ligt half open op de grond en het lijkt wel of hij in zichzelf zit te mompelen, of beter gezegd: hij praat naar iets dat in de tas zit. Behoedzaam en zo geruisloos mogelijk sluipt ze dichterbij, en als ze vlak achter hem staat ziet ze het: uit de tas komt een hamster gekropen.
'Hè, hoe kom je daar nou aan?'
Van schrik zuigt Victor zijn adem in en in een reflex grijpt hij de hamster beet. 'Oh, bommels', doet hij geschrokken, en dat vindt Frederieke zo'n grappige uitroep dat ze meteen in de lach schiet.
Victor propt de hamster snel in de rugtas en maakt aanstalten om overeind te komen.
'Nee joh, laat eens zien', moedigt Frederieke hem aan. 'Hoe kom je in vredesnaam aan dat beest?'

'Van thuis meegenomen', stamelt Victor. 'Maar als je het aan de anderen vertelt of aan de meester, dan, dan ...'
'Hoe heet hij?', vraagt ze.
'Johan,' antwoordt Victor nog een beetje argwanend, 'naar mijn lievelingsoom uit Indonesië van wie ik hem in de vorige vakantie heb gekregen. Ik wilde hem niet alleen thuislaten, omdat hij mij anders misschien gaat missen en dan sterft hij van eh ... eenzaamheidsverdriet.'
'Mag ik hem eens vasthouden?', vraagt Frederieke. 'Ik heb nog nooit van mijn leven een hamster aangeraakt.'
Voorzichtig haalt Victor zijn huisdiertje tevoorschijn en legt het in de opengevouwen handen van Frederieke. Het lijfje voelt zacht en warm aan en ze voelt het kloppen van het hartje dat als een hamertje tegen haar handpalm tikt.
'Als je hem maar niet laat vallen, want daar kunnen ze niet tegen.'
'Nee, natuurlijk niet, dat beloof ik', zegt ze, terwijl ze met haar vingers door de vacht van de hamster kroelt.
'Ik heb mijn zwembroek vergeten mee te nemen. Spijbel jij ook van het zwemmen?', vraagt Victor ineens. 'Heb je ook zo'n bloedhekel aan dat geploeter in het water?'
'Ik kan niet eens goed zwemmen,' biecht Frederieke meteen op, 'want mijn armen en benen doen nooit wat ik wil en dat komt waarschijnlijk omdat ik een beetje een gestoorde motoriek heb, zegt mijn vader. Hier in mijn hoofd gaat alles heel snel, veel sneller dan bij de meeste kinderen van mijn leeftijd, maar mijn armen en benen kunnen mijn hoofd soms niet bijhouden. Ik ben ook niet goed in balspelen, hoewel me dat geen zier interesseert.'
'Zo hé,' reageert Victor zichtbaar onder de indruk, 'ben jij dus echt hoogbeschaafd?'

‘Hoogbegaafd’, verbetert Frederieke hem. ‘Ja, dat zeggen ze, maar dat is helemaal niet zo prettig hoor, want soms verveel ik me te pletter in de klas en niemand wil met mij bevriend zijn, omdat ... nou ja, omdat ik misschien niet zo aardig doe, soms.’ Terwijl ze tegen hem praat, bewegen haar vingers nog steeds door de zachte vacht van de hamster en het lijkt wel of ze daar heel rustig van wordt.
‘Waarom doe je dan niet aardig?’, wil Victor weten, terwijl zijn blik op zijn rugzak valt die een beetje scheef is gezakt.
‘Gewoon, omdat ze mij stom vinden.’
Victor zet zijn rugzak overeind en schuift ermee tot hij recht staat. Hij is even stil en denkt diep na. ‘Bij mij gaat het juist helemaal niet snel in mijn hoofd’, zegt hij dan. ‘Soms heb ik zelfs het gevoel dat er stroop door mijn hersenen glijdt, waardoor ik niet helder kan denken. Volgens de dokter heb ik ADD. De mensen denken dan vaak dat je lui of dom bent, maar eigenlijk heb je alleen maar concentratieproblemen en dan vergeet je vaak alles of je maakt nooit iets af, zoiets ...’
‘Dan hebben we allebei een abnormaal hoofd,’ stelt Frederieke bijna opgewekt vast, ‘en dat vind ik best bijzonder aan ons.’
Victor grinnikt. ‘Ja, mijn vader zegt altijd: “Doorsnee is ook maar gewoontjes.” Maar weet je wat het vervelende is?’ Hij tuurt in de verte en is meteen afgeleid door de kinderen bij het zwembad.
‘Ja, wat dan?’, vraagt Frederieke als hij blijft zwijgen.
‘Eh ... wat?’
‘Wat is vervelend?’
‘Oh ja, het vervelende is eh ... dat ik dat nu niet meer

weet. Dat bedoel ik nou, die dikke stroop in mijn hoofd. Ik hou wel van stroop,' zegt hij, 'maar dan op mijn pannenkoeken en niet in mijn hoofd.'
Dat vindt Frederieke zo geestig dat ze opnieuw hardop moet lachen. Victor is best komisch, maar het leukste is dat hij niet eens zijn best doet om grappig te zijn. Hij is het zich misschien niet bewust, denkt ze.
Maar het lachen vergaat haar als Diederik, Ricardo, Jasper en Melvin plotseling opduiken, in hun zwembroeken en met druipende haren.
'Hé jongens, moet je kijken,' schreeuwt Diederik, 'hier zitten Frederieke en Victor gezellig saampjes! Hahaha, hebben jullie verkering of zo?'
Zo snel hij kan moffelt Victor de hamster in zijn rugzak. Frederieke gaat gehaast overeind staan, om de aandacht van de tas af te leiden, en op droge toon zegt ze tegen Diederik: 'Jij *SP oort* niet.'

Als Frederieke die avond in haar stapelbed stapt, is er maar één gedachte die overheerst: hoe komt ze ongezien weg uit dit vreselijke oord?
Met alle rondslingerende topjes, broeken, rokjes en uitgehangen bikini's lijkt de meisjesslaapzaal inmiddels wel op een kledingmagazijn dat uitverkoop houdt.
'Fabiënne, mag ik jouw roze topje morgen lenen?', vraagt Amber.
Maar Fabiënne schudt haar hoofd en zegt: 'Vraag maar of Frederieke een sexy shirtje voor je te leen heeft.' En dan proest ze het uit op zo'n aanstellerige manier dat Frederieke haar wel een draai om haar oren zou willen verkopen.

De muziek van Amber schettert door de slaapzaal en Fabiënne en Wendelyn doen ingewikkelde danspasjes die ze van een televisieprogramma hebben geleerd, terwijl ze bewonderend worden gadegeslagen door de andere meisjes. Zelfs Yandara, die eigenlijk best verlegen is, doet haar uiterste best om de danspassen onder de knie te krijgen. En allemaal zijn ze in een uitgelaten bui, duwen ze elkaar plagerig opzij, zonder dat iemand op de gedachte komt om Frederieke erbij te betrekken.
De enige die allang ligt te slapen is Jojanneke, die zich volgens juffrouw Annelore nog steeds niet lekker voelt en met rust gelaten moet worden.
Zodra Frederieke haar voet onder de grauwe deken heeft gestoken, kan ze nog net een gil onderdrukken ... Het laken voelt koud en vochtig aan, alsof het een hele dag in de mist heeft gehangen. Om zich heen hoort ze het opgewonden gegiechel van Fabiënne en Wendelyn en een paar andere meisjes, die op een afstandje staan toe te kijken hoe ze zal reageren. Wendelyn wil niet eens de indruk wekken dat ze er niets mee te maken heeft, want ze grijpt haar vriendin vast en barst uit in overdreven gelach. Fabiënne steekt zelfs uitdagend haar tong naar haar uit.
'Is er iets, Frederieke?', vraagt ze dan zogenaamd onschuldig. 'Heb je in je bed geplast?'
Frederieke weet voldoende, maar ze vertikt het om de meisjes nog meer plezier te bezorgen, dus rukt ze het natte laken van het matras en gooit het op de grond zonder de meisjes verder een blik waardig te keuren. Het bed voelt daarna nog steeds onaangenaam aan, maar ze is niet van plan om zich te laten kisten door zo'n stelletje

treitergrietjes. Nog zeven overnachtingen, denkt ze, dat is echt te veel gevraagd.
Als ze op haar rug gaat liggen, de ogen gericht op de steunbalken in het hoge plafond, bedenkt ze een list: als iedereen morgenochtend vroeg nog ligt te slapen, zal ze een pak lucifers uit de keuken pakken, het gas aansteken en dan de hele tent in de fik steken. Daar zullen ze dan nog jaren over napraten: over de gruwelijke wraakacties van Frederieke, de verschrikkelijke.

5 Een plan

De volgende morgen weet ze het zeker: haar klasgenoten hebben niet alleen haar badpak verstopt, maar ook de rest van haar kleren, want in haar rugzak zitten alleen nog haar toiletartikelen. Nu moet ze al weer haar kuitlange spijkerbroek aan met datzelfde doorgezwete T-shirtje van gisteren. Lekker belangrijk, denkt ze kwaadaardig, desnoods jat ze een van de zuurstokroze setjes van Fabiënne of Wendelyn. Kijken of ze hun pestacties dan nog zo geestig vinden ...
Jojanneke is de enige die nog steeds op bed ligt, met haar gezicht naar de muur en met haar arm beschermend om haar hoofd gebogen. Juf Annelore staat er een beetje hulpeloos bij en praat zacht tegen de onverzettelijke rug van Jojanneke.
Wat is er eigenlijk aan de hand met Jojanneke? denkt Frederieke. Is ze ziek of is ze gewoon te slaperig om uit bed te komen? Eerst naar de toiletten, denkt ze dan. Die afschuwelijke toilettengroep buiten het gebouw, waar de vellen toiletpapier op de grond liggen en waar sommige kinderen zich kennelijk niet meer herinneren dat je de wc moet doortrekken na gebruik. Het allerergste is dat de wc-deuren niet goed afgesloten kunnen worden. De haakjes op de deuren zijn verbogen of ontbreken zelfs en als je op de wc-pot zit moet je met je uitgestrekte arm de

deur dichtgetrokken houden om te voorkomen dat er iemand binnenstapt. Wat een armoede!
Ze zit nog maar een paar seconden op de wc-bril als ze rumoer hoort bij de waterfonteintjes. Frederieke zet zich schrap, maar nauwelijks hebben haar vingers zich om de deurknop gekromd of ze voelt een stevige ruk aan de deur, en voor ze het weet zit ze open en bloot, met haar broek op haar enkels, voor iedereen te kijk.
'Mwah!', gilt Fabiënne en ze wijst treiterend met een vinger naar de gehurkte Frederieke, die van schrik meteen overeind vliegt en haar broek ophijst.
Het wordt nog erger als de meisjes opmerkingen gaan maken over de kleren die ze aanheeft: dezelfde als de dag ervoor.
'Lekker fris zeg, loop je nou nog steeds in datzelfde shirtje en die broek?'
Alsof zij niet weten hoe dat komt! Ze kan natuurlijk gaan klagen bij de meester, maar dat vertikt ze, want dan wordt ze helemaal voorgoed uitgekotst door de klas.
Diederik maakt het helemaal bont; hij neemt iedere gelegenheid te baat om haar te sarren, zodra ze ergens alleen is. 'Hé, Frederieke ... we gaan je pakken, precies zoals ik je heb beloofd, weet je nog?'
'Als jullie denken dat ik tegen de meester heb gekletst over die oerstomme actie van jullie bij de spoorweg-overgang, dan zijn jullie nog dommer dan ik al dacht', barst ze los.
Diederik en Jasper rollen bijna over elkaar van het lachen.
'Hoor haar,' zegt Diederik, 'juffrouw weet-het-beter denkt dat ze intelligenter is als wij.'

'Intelligenter dán wij', verbetert Frederieke hem hooghartig.

'We hebben je medewerking nodig, Frederieke', zegt meester Marius en hij trekt daarbij zo'n bloedserieus gezicht dat Frederieke even denkt dat hij een grapje maakt, want zo'n grappenmaker is hij wel. Maar hij tikt uitnodigend op de zitting van een stoel en zegt: 'Ga even zitten, dan zullen we het je uitleggen. Het gaat om Jojanneke,' begint de meester, 'ze voelt zich niet zo lekker.'
'Ze gaat iedere avond vroeg naar bed en de volgende morgen wil ze niet uit bed komen', voegt juf Annelore eraan toe, 'en ze doet niet mee aan de groepsactiviteiten.'
'Ja, dat heb ik gemerkt,' antwoordt Frederieke, 'maar wat heeft dat met mij te maken?'
'Eerst dachten we dat ze misschien iets gegeten had wat niet goed gevallen was, want ze heeft ook overgegeven, maar er is duidelijk meer aan de hand.' De meester pauzeert even en krabt dan nadenkend op zijn hoofd.
'We hebben de indruk dat ze heimwee heeft.'
'Je weet wel,' haakt juf Annelore daarop in, 'dat je thuis zo vreselijk mist dat je nergens meer plezier aan kunt beleven.'
'Ik weet heus wel wat heimwee is, hoor', antwoordt Frederieke. 'Dan heb je knopen in je buik en je kan alleen nog maar aan thuis denken.'
'Precies,' zegt meester Marius, 'en het is echt geen aanstellerij, want je voelt je doodongelukkig en je verlangt alleen nog maar naar de mensen en de dingen thuis.'

'Nee, natuurlijk is het geen aanstellerij,' zegt Frederieke, 'want wie gaat er nu voor zijn plezier de hele dag in bed liggen?'
'We wisten wel dat jij het zou begrijpen.' De meester lijkt bijna opgelucht over zoveel begrip. 'En daarom dachten we: misschien kun jij ons helpen om Jojanneke te helpen, om haar op te vrolijken.'
Frederieke kijkt naar de gezichten van meester Marius en juf Annelore en schiet bijna in de lach om de gespannen afwachting in hun ogen. Zal ze zeggen dat ze Jojanneke best kan begrijpen omdat ze zelf ook geen fluitenkruid aan dat hele kamp vindt? Nee, wacht: misschien moet ze het voorstel van de meester gewoon aannemen en dan Jojanneke voorstellen om samen te vluchten! Het zou een geweldige stunt zijn als ze erin zou slagen om samen met heimwee-Jojanneke een vluchtroute uit te stippelen. In alle stilte en in het diepste geheim natuurlijk. Wat een klapper zou dat in de groep geven! 'En hoe moet ik dan helpen?', vraagt ze met een uitgestreken gezicht.
De juf en de meester buigen zich bijna samenzweerderig naar voren en dan zegt meester Marius: 'Door met haar te praten en door haar het gevoel te geven dat ze niet alleen is. Misschien krijgt ze dan weer plezier in de leuke dingen die we allemaal nog op het programma hebben staan.'
'Aha,' antwoordt ze, 'en dan verdwijnt die heimwee vanzelf, denkt u?'
'Dat hopen we, want naar ons luistert ze niet en wat wij ook zeggen, ze antwoordt steeds dat ze naar huis wil.'
'Ik snap het.' Frederieke moet op haar lip bijten om niet te lachen om haar dubbelzinnige antwoord. Ze begrijpt

wat de meester bedoelt, maar ze snapt nog beter waarom Jojanneke naar huis wil.
'Je bent een kanjer', zegt juf Annelore. 'We vermoedden al dat jij wel begrip voor haar situatie op zou kunnen brengen.'
Oh ja, denkt Frederieke, waarschijnlijk omdat ik zelf ook zo'n abnormaal kind ben. Twee van die buitenbeentjes zullen elkaar wel begrijpen, denken ze natuurlijk. 'Ik zal mijn best doen', zegt ze.

Jojanneke ligt met haar neus bijna tegen de muur aan en ze heeft haar rug vijandig naar de buitenwereld gekromd.
'Hé Jojanneke,' begint Frederieke, 'ik heb gehoord dat je naar huis wilt. Klopt dat?'
In de afwerende houding van Jojanneke komt bijna geen verandering, maar als Frederieke de vraag herhaalt, draait ze haar hoofd een paar centimeter in de richting van haar klasgenootje.
'Als dat zo is, dan kan ik je misschien helpen, want ik vind het hier ook afschuwelijk.'
'Waarom?', vraagt Jojanneke met een klein bibberstemmetje.
'Omdat we hier met een stel malloten moeten zitten en omdat ... nou ja, ik bedoel maar ... als jij naar huis wilt, dan moet je natuurlijk niet in je bed blijven liggen, want dat schiet niet op.'
Het behuilde gezicht van Jojanneke licht even op.
'Ik had zo gedacht,' gaat Frederieke verder, 'als we het nou slim aanpakken, dan zijn we binnen de kortste keren weer thuis, maar dan heb ik wel je medewerking nodig.'

Als Jojanneke voor het eerst helemaal rechtop gaat zitten, schrikt Frederieke van haar bijna doorschijnende huidskleur. ‘Je lijkt wel een wandelend lijk’, zegt ze. ‘Zo wil je toch niet thuiskomen?’
‘Ik voel me zo misselijk’, zegt Jojanneke.
‘Ja, natuurlijk, maar je bent niet echt ziek, je verlangt alleen maar zo erg naar huis dat je je ziek vóélt. Zodra je thuis bent, is het weer over. Dus wat we moeten doen is eerst weer beter worden, anders kun je de reis naar huis niet aan.’
Het gezicht van Jojanneke is een en al vraagtekens. ‘Echt waar?’
‘Ja, en we gaan samen’, zegt Frederieke en ze klinkt zo doortastend en zelfverzekerd dat ze er zelf trots op is. ‘Dus je moet eerst uit bed komen en doen alsof er niets

aan de hand is, anders worden ze achterdochtig.'
Jojanneke is zo overdonderd dat ze haar benen over de rand van het bed slaat en tollend van draaierigheid op haar voeten gaat staan.
'Je gaat eerst douchen en dan iets eten, want je moet gezond en sterk genoeg zijn om de terugreis te beginnen.'
'En hoe gaan we dat dan aanpakken?', wil Jojanneke weten.
'We knijpen er stiekem tussenuit en dan gaan we met de trein naar huis', bedenkt Frederieke ter plaatse.
Ze vraagt zich niet eens af hoe dat dan moet, zo graag wil ze naar huis, en dus stapt Jojanneke even later onder de douche om er daarna weer schoongeboend onder vandaan te komen.
'Zijn we nu vriendinnen?', vraagt ze bijna verbaasd aan Frederieke.
De onschuldige vraag boort zich in Frederiekes hart met de snelheid van een giftige pijl. Ze krijgt er bijna een kleur van schaamte van, want ineens beseft ze hoe gemeen haar plan was: ze wilde Jojanneke alleen maar gebruiken om zelf te ontsnappen.
Jojanneke kijkt haar verwachtingsvol aan als ze zegt: 'Ik heb nog nooit een hartsvriendin gehad.'
'Ik eerlijk gezegd ook niet', antwoordt Frederieke naar waarheid. Ze denkt koortsachtig na over haar eigen opmerking. Jojanneke is in de klas een stil meisje, een nakomertje in een gezin met grote broers en zussen, en vergeleken met de populaire meisjes zoals Fabiënne en Wendelyn is ze een onbeduidend grijs muisje. Eigenlijk weet ze verder niets bijzonders van Jojanneke en dat is best raar, want ze zitten al jarenlang in dezelfde klas.

Als ze vervolgens samen de doucheruimte uit lopen begint Frederieke te piekeren over haar doortrapte idee. Misschien moet ze inderdaad haar best gaan doen om Jojanneke een fijne week te bezorgen, zodat ze echt vriendinnen kunnen worden, want een echte vriendin heeft ze nog nooit gehad. Dan ontstaat er in haar hoofd een prachtig plan, want hartsvriendinnen delen elkaars geheimen en in het kamp is één groot geheim.
'Wacht even hier,' zegt ze, 'ik wil je iets laten zien, maar ik moet even aan iemand vragen of dat goed is. Het is een geheim, maar omdat we nu vriendinnen zijn, kan ik het je wel vertellen.'
Zo snel ze kan, rent ze naar het slaapvertrek van de jongens, waar de bende zo mogelijk nog groter is dan in de slaapzaal van de meisjes. Eén blik in de ruimte en ze weet: Victor is er niet. Zonder zich iets aan te trekken van het gejoel van de jongens, rent ze weer naar buiten. Ze vindt hem uiteindelijk bij de struiken achter de kampeerboerderij, waar hij in zijn eentje wat loopt rond te sloffen. Vlak voor zijn voeten zit het hamstertje van zijn droogvoer te knabbelen.
'Hé Victor,' fluistert Frederieke, 'ik ben het maar. Ik heb je hulp nodig.' In een paar zinnen vertelt ze hem van de problemen met Jojanneke. 'En nu dacht ik zo,' eindigt ze, 'dat zij het misschien wel leuk zal vinden als ze met ons een geheim kan delen. Dan is Johan ons geheim en misschien maakt dat haar een beetje gelukkiger.'
'Gelukkiger?', herhaalt Victor. 'Word je van een geheim gelukkiger?'
'Als je een geheim deelt met iemand, dan betekent dat dat je elkaar vertrouwt en dát maakt je gelukkig.'

‘Oh ja, dat klopt wel’, begrijpt Victor nu ook. ‘Als ze het maar niet doorvertelt.’
Frederieke krijgt gelijk: Jojanneke is verrukt van de hamster en ze aait en kriebelt het beestje en ze belooft herhaaldelijk dat het geheim veilig bij haar zal zijn.
‘Weet je wat nu zo raar is?’, zegt ze. ‘Dat ik nooit heb geweten dat jullie vrienden zijn.’
‘Ik eigenlijk ook niet, maar het is wel zo, hè Victor?’, zegt Frederieke en ze moet er bijna van blozen, want nu het woord ‘vrienden’ ineens is gevallen, klinkt dat alsof je met je vinger tegen een kristallen glas aan piekt.
En dan maakt Victor een grapje waar ze enorm om moet lachen. ‘Ik beloof hierbij’, doet hij de gewichtig doenerige Diederik na, ‘dat ik nooit zal praten over de hamster.’
Zelfs Jojanneke moet nu lachen. ‘Misschien wordt het hier toch nog gezellig,’ zegt ze, ‘nu ik weet dat jullie mijn vrienden zijn.’

6 Hartsvriendschap

Een hele dag en een hele avond is het goed gegaan en heeft Jojanneke, na de aanmoedigingen van Frederieke, meegedaan met de spelletjes op het voetbalterreintje bij de kampeerboerderij. Ze heeft zelfs meegezongen bij de open haard, maar daarna werd ze toch weer stiller en stiller. Om haar een beetje te helpen heeft Frederieke haar bed naast dat van Jojanneke geschoven. 'Misschien voel je je dan minder alleen', zei ze. En ze is pas gaan slapen toen Jojanneke rustig ademhaalde.
Het is al na middernacht als Frederieke plotseling wakker schiet en heel even heeft ze geen idee waar ze is. Het is zo'n moment dat je zweeft tussen slapen en waken, en het gevoel hebt dat de nacht een groot zwart gat is waarin je kunt verdwalen. Ze spert haar ogen wijd open en spitst haar oren. Dan ziet ze het: er gebeurt iets geks in de meisjesslaapzaal. Er zwalkt een klein lichtje door de ruimte en af en toe schijnt het op de bedden van de meisjes. Ze tilt haar hoofd een klein beetje op, houdt haar adem in en volgt het lichtje met haar ogen. En dan, als het lichtje ineens naar de andere kant zwenkt, begrijpt ze het: juf Annelore komt nog even kijken of alles in orde is voor ze zelf gaat slapen.
Als de juf bijna bij haar bed is, gaat Frederieke rechtop zitten.

‘Hé, lieffie,’ zegt de juf fluisterend als ze met de zaklantaarn op de dekens van Frederieke schijnt, ‘slaap je nog niet?’
‘Ik heb al geslapen,’ antwoordt Frederieke zacht, ‘maar ik moet naar het toilet.’ Ze slaat haar dekens opzij en wil uit bed klimmen.
‘Zachtjes,’ waarschuwt juf Annelore, ‘anders worden de anderen ook wakker en dan moeten ze ineens allemaal plassen. Zal ik met je meegaan?’
‘Nee, hoeft niet,’ zegt Frederieke, ‘ik ben zo terug.’
Snel steekt ze haar voeten in de teenslippers, trekt een vest aan over haar pyjama en dan loopt ze gehaast naar de toiletten. Het is donker buiten, maar bij het toiletgebouw brandt de nachtverlichting boven de deuren. Het is kil op de toiletten, maar het is er in ieder geval wel lekker rustig.
Zodra ze klaar is, loopt ze rillend van de slaap terug naar de meisjesslaapzaal. Maar als ze langs de jongensslaapzaal komt, hoort ze dat iemand zacht haar naam roept. Uit de schaduw van de gebouwen duikt tot haar stomme verbazing ineens Victor op, in een korte broek en een T-shirt.
‘Wat doe jij hier midden in de nacht?’, fluistert ze. ‘Ben je aan het slaapwandelen?’
‘Mijn hamster is verdwenen,’ fluistert Victor terug, ‘ik kan Johan nergens vinden.’
Victor ziet er behoorlijk paniekerig uit met zijn verwarde haren en zijn wanhopig uitgestoken handen.
Frederieke denkt meteen aan juf Annelore, die nu in de slaapzaal op haar staat te wachten. ‘Ik moet even terug naar mijn bed, want juf Annelore is daar, maar zodra ze

weer weg is, kom ik meteen naar buiten', zegt ze. 'Blijf zoeken, ik kom zo dadelijk terug om je te helpen.'
Ze rent terug naar de slaapzaal, duikt onmiddellijk in haar bed en geeuwt demonstratief. Dan trekt ze de dekens over haar neus om te laten zien dat ze dolgraag weer verder wil slapen.
Juf Annelore geeft haar een goedkeurende aai over haar bol en fluistert: 'Welterusten, Frederieke, slaap maar lekker en droom maar over fijne dingen.'
Als de juf is verdwenen, blijft Frederieke nog even doodstil liggen om er zeker van te zijn dat de juf nu zelf naar bed is. Dan schuift ze met ingehouden adem opnieuw onder de dekens vandaan en sluipt op haar slippertjes naar de deur. Juf Annelore heeft de buitendeur op slot gedraaid, maar vanwege ontsnappingsmogelijkheden bij brandgevaar zit de sleutel er aan de binnenkant gelukkig nog in en dus staat Frederieke binnen de kortste keren buiten.
Victor staat koukleumend op haar te wachten en trekt haar meteen mee naar de achterkant van de jongensslaapzaal. 'Hier heb ik hem laten lopen,' zegt hij, 'maar nu is hij al meer dan een uur spoorloos verdwenen.'
Het duurt even voor haar ogen aan het duister gewend zijn. Het is een onbegonnen zaak, denkt ze, de hamster kan al wel drie keer om de kampeerboerderij heen zijn gelopen.
'Was het maar een hond,' zegt ze, 'dan konden we hem bij zijn naam roepen. Maar Johan luistert zeker niet naar zijn naam?'
'Dat weet ik niet, want dat heb ik nog nooit geprobeerd', zegt Victor.

'Weet je wat we doen?', zegt ze. 'We gaan allebei aan één kant beginnen en dan lopen we zigzaggend naar elkaar toe.'
Victor vindt alles allang goed, ziet ze, want hij is ten einde raad. Ze ziet het aan de manier waarop hij zenuwachtig met zijn vingers friemelt.
Hij loopt een paar meter van haar weg en komt dan teruggehold. 'Wat moest ik nou doen?'
'Jij begint daar te zoeken en ik begin hier en dan lopen we naar elkaar toe.'
Frederieke voegt meteen de daad bij het woord en begint langzaam lopend het terrein af te speuren, terwijl Victor hetzelfde doet vanaf de andere kant.
Ik moet de hamster vinden, ik móét hem vinden! denkt Frederieke fanatiek. Voor Victor!
Victor staat inmiddels zo'n vijftig meter bij haar vandaan en aan zijn gebogen gestalte kan ze zien dat hij iedere vierkante meter grondig onderzoekt.
Als ze voor de derde keer, telkens in een steeds wijdere boog, het terrein heeft afgezocht, staat Victor plotseling voor haar neus, met de hamster in zijn handen.
'Gevonden!' Hij lacht van oor tot oor en knuffelt de hamster. Hij is zo uitbundig blij dat ze zijn hart bijna kan horen bonken. 'Hartstikke bedankt, Frederieke,' fluistert hij, 'zonder jou was het niet gelukt.'
'Snel naar bed,' fluistert ze, 'en vergeet niet om Johan van mij een zoen te geven.'
Als een dief in de nacht sluipt ze terug naar de meisjesslaapzaal, doet de deur open en glipt de nachtvertrekken binnen.
Als ze eenmaal weer in bed ligt, heeft ze een brede glim-

lach om haar lippen. Ze moesten eens weten dat we op hamsterjacht zijn geweest, denkt ze grinnikend. En dan kan ze bijna niet meer in slaap komen, omdat ze gewoon te opgewonden is na de nachtelijke zoektocht.

Maar Frederieke wordt alweer vroeg wakker, omdat Jojanneke moet overgeven en daardoor rumoer ontstaat op de slaapzaal. En dan, niet veel later, zijn daar tot ieders verbazing ineens Jojannekes ouders in de ontbijtzaal van de kampeerboerderij, die op ernstige toon praten met de juf en de meester.
'Jojanneke gaat vandaag naar huis,' zegt meester Marius tegen de klas, 'omdat ze enorme heimwee heeft. Ze wordt er zelfs ziek van en we vinden het niet langer verantwoord om haar hier te houden.'
Frederieke tuimelt bijna van haar stoel van verbazing. Niet te geloven ... mag Jojanneke nu ineens wél naar huis? Vrijwel onmiddellijk heeft ze haar meest briljante idee klaar.
Zodra Jojanneke en haar ouders aanstalten maken om naar de auto op het parkeerterrein te lopen, sluipt ze ongezien naar de auto en verstopt ze zich op de achterste achterbank van de grote gezinsauto. Ze probeert zich zo klein mogelijk op te rollen tussen de kampeerspullen van Jojannekes ouders en houdt haar adem in, als ze in de auto stappen.
'Nou, hartelijk bedankt voor jullie goede zorgen,' zegt Jojannekes moeder door het openstaande portierraampje, 'en nogmaals onze verontschuldigingen voor de overlast.'
Het gaat me lukken! denkt Frederieke triomfantelijk als de auto zich in beweging zet. Het geknars van de auto-

banden op het grind van het parkeerterrein klinkt haar als muziek in de oren. Terug naar huis, dááág klierende klasgenoten en hallo dierbare vrijheid!
Nauwelijks een paar minuten later, als ze wil verliggen omdat die vervelende buikpijn weer gaat opspelen, trapt ze per ongeluk tegen een van de samengebonden tentstokken die naast haar liggen, waardoor die tegen de zijruit tikt.
'Wat was dat?', vraagt Jojannekes vader. 'Hoorden jullie ook zo'n raar geluid?'
Frederieke wil het wel uitschreeuwen. Nee, let niet op mij, rij door tot we weer thuis zijn! Maar Jojannekes vader mindert vaart en bij de eerste de beste parkeergelegenheid zet hij zijn auto aan de kant.
Frederieke kijkt recht in het stomverbaasde gezicht van

Jojanneke, die over de rugleuning van haar stoel kijkt.
'Hè, wat krijgen we nou,' vraagt Jojannekes vader als hij het achterste portier heeft opengetrokken, 'een verstekelinge?'
'Het is oneerlijk,' barst Frederieke onmiddellijk los, 'als zij naar huis mag, dan wil ik ook, want, want ... want we zijn vriendinnen.'
De vader en moeder van Jojanneke kijken elkaar lang en veelbetekenend aan.
'Heb jij ook zo'n heimwee, lieve schat?', vraagt haar moeder.
Frederieke schudt haar hoofd. 'Nee, maar ik vind er gewoon geen mallemolen aan, aan dat hele schoolkamp-gebeuren.'
'Sja ... maar lieve kind, we kunnen je toch niet zomaar ontvoeren?'
'Ja hoor, dat kan best hoor, mam,' vindt Jojanneke, 'want Frederieke is de enige die zich met mij bemoeid heeft en dus kunnen we best ...' Maar dan valt ze stil, als ze begrijpt dat haar ouders toch niet tot andere gedachten te brengen zijn.
Haar vader gaat weer achter het stuur zitten en keert de auto. 'Ik zal het wel even met jullie meester bespreken,' zegt hij, 'want hij moet toch weten dat je je ongelukkig voelt?'
'Nee, nee, niet doen,' doet Frederieke geschrokken, 'het was maar een grapje!'
Als ze even later het kampterrein weer oprijden en Frederieke weer moet uitstappen, grijpt Jojanneke haar hand en fluistert: 'Sorry dat je plannetje is verknald.'
'Het geeft niet,' antwoordt Frederieke met tranen die

ergens in haar keel blijven hangen, 'ik red me wel.'
'Als we weer thuis zijn zal ik het goedmaken,' zegt Jojanneke nog, 'als een echte hartsvriendin.' Dan geeft ze Frederieke een echte vriendinnenknuffel.
'Dat is goed', antwoordt Frederieke, en tot haar eigen verbazing is ze zelfs benieuwd of ze allebei wel weten hoe je dat doet: hartsvriendinnen zijn. Bij Amber en Yandara lijkt dat allemaal zo vanzelf te gaan. Misschien moet ze hen maar eens uithoren over dat vreemde verschijnsel dat hartsvriendschap heet.
'Hier is Frederieke weer,' zegt de vader van Jojanneke als hij haar weer aflevert bij meester Marius, 'ze heeft ons nog even uitgezwaaid.' En dan ziet ze dat hij nog even met de meester blijft smoezen en haar ten slotte een dikke knipoog geeft.

De meester is niet boos, zegt hij. 'Ik vind het geweldig dat je geprobeerd hebt om het Jojanneke naar de zin te maken en daar heb ik grote bewondering voor.'
Hij en juf Annelore hadden wel gezien dat ze de hele dag met Jojanneke had opgetrokken en dat ze haar uiterste best had gedaan. 'Maar heimwee is een lastig probleem', voegt hij daaraan toe. 'Het gaat in je hoofd en je buik zitten en 's nachts, als je alleen in je bed ligt, dan word je helemaal ellendig van eenzaamheid. Heb jij dat akelige gevoel toevallig ook?'
'Het zit ook in míjn buik', zegt Frederieke, 'en het doet hartstikke pijn.'
'Gaat het nu om heimwee of om eh ... meisjesdingen?', vraagt de meester. 'Want in dat geval laat ik jullie even alleen.'

Als ze met juf Annelore alleen is, wil Frederieke wel vertellen dat ze buikpijn heeft doordat ze nooit rustig op de wc kan zitten, omdat de andere meisjes de deur iedere keer openrukken. Zonder dat het haar bedoeling is, vertelt ze ook van de andere pesterijtjes en dreigementen. En als juf Annelore met haar hand zachtjes over haar rug wrijft, komen daar opeens de tranen, alsof de juf een ballon met water heeft doorgeprikt.
'We gaan eerst die buikpijn van jou aanpakken', zegt de juf. 'Ik geef je een laxeermiddeltje om te slikken, waardoor je ontlasting zacht wordt, en dan kun je straks gewoon naar de wc en voel je je weer beter.'
Als juf Annelore daarna de meisjes uit de klas bij elkaar heeft geroepen, is ze boos en dat laat ze blijken ook.
'Wat zijn dat voor akelige pesterijen? Hoe zouden jullie het zelf vinden als je zelfs op het toilet nog niet rustig kunt zitten?', vraagt ze. 'Doe je dat thuis ook, als je vader naar de wc gaat? Ruk je dan ook de deur open? Ik denk dat je geweldig op je kop zou krijgen, dames. En als ik het nog een keer hoor, dan word ik ontzettend nijdig.'
Ze heeft een strenge regel bedacht: de meisjes moeten voortaan buiten het toiletgebouw wachten als de wc bezet is en wie zich daar niet aan houdt, moet de vloer van de ontbijtzaal schoonmaken.
Na een paar uur begint het laxeermiddeltje inderdaad te werken en moet Frederieke hollend naar de wc. Maar wat voelt ze zich daarna opgelucht!
Fabiënne en Wendelyn gaan bijna gestrekt van het lachen als ze begrijpen dat hun pesterijtjes zo succesvol zijn geweest.

‘Frederieke heeft een poeppil gekregen en nu is ze aan de racekak’, ginnegapt Fabiënne. ‘Oh, wat zal ze stinken, doe de deur op slot.’
Frederieke bijt op haar lippen. Zie je wel, het gepest gaat gewoon door, ondanks de donderpreek van juf Annelore. Ze wil er niet meer aan terugdenken, en in haar bed, met haar hoofd onder het kussen, bedenkt ze die nacht de meest gruwelijke straffen voor haar medescholieren. Misschien moet ze morgenochtend vroeg opstaan en de suiker verwisselen voor zout. Of nog leuker: misschien moet ze wel dozen vol laxeermiddelen door het eten mengen. De hele klas aan de spetterpoep, dat is pas lachen!

7 Een nieuw plan

Victor heeft donkere kringen onder zijn ogen en hij ziet er allesbehalve gezond uit als hij de volgende morgen als een van de laatsten buiten is, met zijn onafscheidelijke rugzak in zijn hand.
'Hoe is het met Johan?', vraagt Frederieke met een blik op de rugzak, als ze van de schommel is gesprongen.
'Johan voelt zich belabberd. Hij wil niet meer eten en sinds vanmorgen rilt hij af en toe.'
'Laat zien!' Speurend kijkt Frederieke om zich heen om er zeker van te zijn dat er geen bemoeizuchtige pottenkijkers zijn, alsof ze samen de buit van een roofoverval bespreken.
Victor zet de tas op de grond, graait er met zijn hand in tot hij het hamstertje te pakken heeft en legt het diertje voorzichtig in Frederiekes handen. Zijn handen trillen, ziet ze, en voor het eerst die week groeit er in haar hart iets dat ze nauwelijks kent. Wat zielig voor Victor ...
Johans vacht ziet er inderdaad niet goed uit: plakkerig, alsof hij met haargel is ingesmeerd, maar dof als een oude afwaskwast.
'Wat heb je hem te eten gegeven?', wil Frederieke weten. 'Knaagdierenvoedsel?'
Als antwoord laat Victor een zakje met droogvoer zien. 'Plus een gedroogde broodkorst en een stukje appel,

precies zoals mijn oom ons had voorgeschreven.'
Frederieke kriebelt met haar vingers onder het hamsterkinnetje, maar Johan laat zijn kopje treurig hangen. 'We moeten zo snel mogelijk met hem naar een dierenarts', zegt ze vastberaden.
'Dat dacht ik ook,' zegt Victor, 'maar ik weet alleen niet hoe en daarom dacht ik aan jou, want jij bent superslim.'
Ineens weet Frederieke de oplossing: 'Zullen we samen vluchten, Victor, samen mét Johan?'
'Kan dat?', vraagt Victor.
'Alles kan,' weet Frederieke zeker, 'als je maar genoeg wilt.' Ze denkt koortsachtig na en zegt dan: 'We doen het: we nemen gewoon de trein, vanmorgen nog. We knijpen ertussenuit als we op weg gaan naar dat openluchtmuseum dat vandaag op het programma staat.'

Ze heeft niet eens de moeite genomen om haar toiletspulletjes op te halen uit de meisjesslaapzaal. En Victor heeft al alles bij zich wat belangrijk voor hem is: zijn rugzak met de hamster.
Zodra alle fietsen van het slot zijn gehaald, worden de leerlingen in twee groepen verdeeld. De ene groep fietst met meester Marius mee en de andere met juf Annelore. Frederieke manoeuvreert haar fiets zo dat ze in dezelfde groep als Victor terechtkomt.
'Als ik je een seintje geef, moet je meteen achter me aan fietsen', fluistert ze hem toe.
Daar gaan de twee groepen, druk kletsend en lachend, slingerend over de bospaden, en niemand let nog op de twee fietsers die, achter in de groep van juf Annelore, ongezien ertussenuit knijpen.

Met zijn tweeën leggen ze de hele weg naar de spoorbaan snel fietsend af. Het kleine stationnetje ligt op nauwelijks honderd meter van de spoorwegovergang en zonder veel moeite staan ze even later op het verlaten perronnetje. De fietsen hebben ze tegen het hek gezet.
'Welke kant moeten we eigenlijk uit? Komt de trein van links of van rechts?', vraagt Victor.
Dat is een moeilijke vraag, vindt Frederieke, want er hangen geen borden boven de perrons en wachtende treinreizigers, aan wie ze het kunnen vragen, zijn er niet.
Victor kijkt voortdurend in zijn tas en zegt dat Johan zich echt beroerd voelt. Frederieke wordt er zelfs een beetje zenuwachtig van.
Als ze enkele minuten hebben zitten wachten, ziet ze het ineens: aan de zijkant hangen gele informatieborden met vertrektijden.
Victor komt naast haar staan, kijkt naar de tabel met plaatsnamen en tijden en bijt fanatiek op zijn afgekloven nagels. 'Volgens mij snappen wij hier niets van', zegt hij. 'Hebben we dat op school gehad?'
Wanhopig probeert Frederieke de naam van hun eigen stad ergens te ontdekken.
Precies op dat moment komt de trein eraan.
'Kom op, Victor,' zegt ze, 'we stappen gewoon in en dan zien we wel waar we terechtkomen.' Weg is weg, denkt ze, alles beter dan dit vreselijke schoolkamp.
Maar als de trein tot stilstand is gekomen, staat Victor nog steeds wanhopig naar de informatieborden te staren. Hij friemelt zenuwachtig met zijn handen – zijn ogen gericht op de onbegrijpelijke borden – en kan maar niet besluiten wat hij moet doen.

'Victor, kom nou,' smeekt Frederieke en ze drukt op de knop om de deuren te openen, 'we moeten nu echt instappen.'
Victor gooit zijn armen in de lucht – hij weet het ook niet meer – en rent naar de trein.
'Je tas nog! Victor, vergeet je tas niet!', gilt Frederieke als ze al in de trein staat. 'Schiet op!'
Fioewieee, klinkt het fluitsignaal van de treinconducteur.
De tas met Johan erin staat op de grond tegen de poten van de informatieborden aan. Victor grijpt ernaar, maar grijpt mis.
'Victor, kom!', schreeuwt Frederieke. Ze staat in enorme tweestrijd: moet ze Victor op het perron achterlaten en haar trein naar de vrijheid nemen of moet ze bij hem blijven? Sámen vluchten, hadden ze besloten.
Fioewieee, klinkt het nog een keer.
Victor zwaait met zijn armen – wacht, wacht – alsof hij de treinmachinist wil overhalen om hem meer tijd te gunnen. Hij heeft de tas in zijn handen, maar de trein kan hij onmogelijk nog halen.
Pas op het allerlaatste moment springt Frederieke uit de treinwagon op het verlaten perron en onmiddellijk daarna klappen de treindeuren dicht. Te laat, beseft ze; die kans om te ontsnappen is voorgoed bekeken.
De ontreddering in de ogen van Victor is groot. 'Nu heb ik het zelf verknoeid door mijn onhandigheid', stamelt hij. 'Het kwam door die stomme borden met al die vertrektijden; daar werd ik helemaal gek van. En toen vergat ik ook nog mijn tas. Het is mijn eigen domme schuld.'

Daar zitten ze nu, samen op een bankje op het perron, ver weg van huis, met een doodzieke hamster die zelfs de dierenarts hoogstwaarschijnlijk niet meer kan redden.
'Ik heb het weer verprutst met mijn getreuzel, hè?', zegt Victor.
Met voorzichtige bewegingen tilt hij zijn hamster uit de rugzak. Het diertje hangt als een zakje zand op zijn hand en het beweegt niet meer. Geschrokken kijkt Victor naar Frederieke, die haar hand naar het beestje uitstrekt en voorzichtig onder zijn kinnetje kriebelt. Johan reageert niet, ook niet als Victor hem van zijn ene hand naar de andere rolt. Zijn kopje zakt zielig opzij.
'Johan is dood', zegt Victor na een tijdje met verstikte stem.
Frederieke weet dat hij gelijk heeft en knikt. 'Hij was wel lief, hè?', zegt ze na een gepaste stilte.
Victor drukt het dode hamsterlijfje tegen zijn wang en geeft er een kus op. 'Johan was ontzettend lief.'
Dan begint hij zacht te snikken en met de vacht van de hamster veegt hij zijn tranen weg.
Frederieke weet niet goed wat ze moet doen nu Victor zo verdrietig is. Ze moet er zelf ook bijna om huilen. Een beetje zwijgen is het beste, denkt ze, terwijl ze haar hand troostend over Victors rug laat glijden.
'Misschien kunnen we hem ergens begraven,' zegt ze na een tijdje, 'ergens waar het mooi is en waar Johan lekker kan liggen.'
Victor gaat abrupt staan en loopt weg, met de dode hamster in zijn uitgestrekte handen, alsof hij het diertje op een serveerblad draagt.

Frederieke raapt zijn rugtas op en loopt eerbiedig achter hem aan.
Johan verdient een waardige begrafenis.

Zodra Victor de ideale begraafplek heeft gevonden, graven ze met hun blote handen een kuil in de harde bosgrond, tot hun vingernagels zwarte rouwrandjes vertonen. Het is een plekje bij een boom met een dikke bast, die hoger reikt naar de hemel dan de andere bomen. Voor de laatste keer voelt Victor of de hamster echt geen adem meer haalt en pas als hij er absoluut zeker van is dat het hartje niet meer tikt, legt hij het lijfje in de smalle kuil. 'Dag Johan,' zegt hij als hij het vachtje glad heeft gestreken, 'je was een lieve hamster en het spijt me dat ik je heb laten doodgaan.'
'Je kon er niets aan doen', zegt Frederieke zacht, 'en het is beter dat hij is gestorven toen hij bij jou was, dan dat hij van eenzaamheidsverdriet was doodgegaan.'
Victor gooit eerbiedig kleine handjes zand op het hamsterlichaampje, net zolang tot er een klein heuveltje ontstaat. Dan gaat hij er op zijn knieën bij zitten en staart naar het eenvoudige grafje.
Frederieke volgt zijn voorbeeld, maar ze maakt zich intussen wel zorgen om hun terugkeer naar de kampeerboerderij. Wat zal de meester zeggen als hij ontdekt dat ze schitteren door afwezigheid? Ze moet een verklaring bedenken waarom ze zo lang zijn weggeweest.
Victor lijkt geen aanstalten te maken om op te staan. Nog steeds starend naar het grafje trommelt hij met zijn vingers op zijn knieën. Hij stopt er pas mee als er een vlinder om hen heen fladdert, die hij plotseling vol

belangstelling met zijn ogen volgt. 'Zie je dat?', vraagt hij meer aan zichzelf dan aan zijn vriendin. 'Dat is het teken!'
'Welk teken?'
'Ik heb wel eens gehoord dat dode mensen als vlinders naar de hemel vliegen als ze zijn overleden, dus zal dat met dieren ook wel zo zijn.'
'Weet je dat zeker?'
Victor knikt opgelucht, terwijl hij de vlinder nakijkt. 'Daar gaat Johan.'
Nu weet Frederieke het zeker: in dat hoofd van Victor zit niet alleen stroop, maar ook een heleboel prachtige gedachten. Geen wonder dat hij af en toe gewoon geen tijd heeft voor taallessen, ingewikkelde breuken of gymnastiek.

Frederieke heeft haar besluit genomen: ze zal niets verklappen van hun vluchtpoging en de dramatische dood van de hamster. De andere kinderen zouden het domweg toch niet begrijpen.
Als ze bij de kampeerboerderij aankomen, zegt ze tegen Victor: 'Laat mij maar.'
Eenmaal binnengekomen in de eetzaal van de kampeerboerderij wacht hun een vreemd tafereel. De kinderen zitten allemaal met bedrukte gezichten aan de lange eettafels en kijken stomverbaasd naar het tweetal dat in de deuropening blijft staan.
'Daar heb je ze', zegt Fabiënne bijna opgelucht.
Op datzelfde moment komen er twee agenten met een enorm grote herdershond binnen, gevolgd door meester Marius en juf Annelore. Een van de agenten heeft een

kledingstuk in zijn hand, dat Frederieke onmiddellijk herkent als haar vestje, dat ze al dagen kwijt was.
De herdershond begint meteen aan de lijn te rukken en trekt zijn baas in de richting van de kinderen. Als hij bij Frederieke is, springt hij tegen haar op en blaft kort. Van schrik knijpt Frederieke haar ogen dicht en ze tuimelt bijna achterover onder het gewicht van de politiehond.
'Goed zo, brave hond', zegt de politieagent, waarna de speurhond meteen een hondenkoekje als beloning krijgt.
Meester Marius kijkt of hij water ziet branden en wrijft met een vermoeid gebaar over zijn voorhoofd: 'Wel heb je ooit ... waar hebben jullie al die tijd uitgehangen?'
'Nou, het zit zo,' begint Frederieke, 'we waren aan het fietsen, hè, en toen kreeg Victor een lekke achterband, maar omdat jullie dat niet merkten, ben ik maar bij hem gebleven. Maar ik kon hem niet achterop nemen, want hij is voor mij natuurlijk veel te zwaar, en ik kon niet bij hem achterop en dan ook nog eens een fiets meesleuren, dus daarom zijn we met de twee fietsen aan de hand naar het stadje gelopen om te kijken of iemand de fietsband misschien kon plakken. Maar toen we daar eenmaal waren aangekomen, bleek dat de fietsenmaker zojuist een hartaanval had gekregen. Die man lag naar adem snakkend op de grond tussen al die fietsen die hij nog moest maken en hij was al helemaal blauw aangelopen, toen hij gebaarde dat we een ambulance moesten bellen en toen ...'
Frederieke is zich er heel goed van bewust dat alle ogen op haar gericht zijn en dat iedereen ademloos naar haar verzonnen verhaal zit te luisteren, en ze geniet met volle teugen van haar solo-optreden. Zo voelt dat dus, denkt

ze tussendoor, zo verrukkelijk is het als je de volle aandacht van iedereen krijgt, als ze allemaal naar jou kijken, vol ontzag en bewondering. 'Toen hebben we 1-1-2 gebeld en intussen, terwijl we wachtten op de ambulance, hebben we die man gerustgesteld, want hij was echt vreselijk bang dat hij dood zou gaan, hè Victor? Nou, dus toen kwam de ziekenauto, net toen hij bijna echt doodging, en toen hebben de ambulancebroeders meteen dat hart van die fietsenmaker gedebrif ... eh een stroomstoot gegeven, zodat het weer ging tikken, en toen ze hem hadden gereanimeerd hebben ze hem gauw meegenomen naar het ziekenhuis, omdat hij natuurlijk verder onderzocht moest worden. Nou ja, en toen zijn wij maar weer teruggelopen naar de kampeerboerderij, maar toen was het natuurlijk al laat.'
Nu moet ze stoppen, beseft ze, anders klinkt het niet meer geloofwaardig. Jammer, want nog nooit heeft ze zo lang kunnen vertellen zonder dat ze door een van haar klasgenoten met een schampere opmerking in de rede werd gevallen. Moet je ze nu zien kijken! Bijna had ze applaus verwacht.
'Allemensen,' zegt juf Annelore, 'wat een zenuwtoestand en wat ontzettend dapper dat jullie zo doortastend hebben opgetreden! We hadden geen idee waar jullie waren gebleven en we waren zo ongerust!'
Een van de politieagenten, die met de speurhond aan de riem, maakt aanstalten om zijn mobiele telefoon te pakken. 'Zal ik het ziekenhuis bellen om te vragen hoe het nu met de fietsenmaker is?'
Meester Marius doet een stap naar voren en schudt zijn hoofd. 'Nee, doe maar niet, want we weten natuurlijk

niet de naam van de fietsenmaker. Ik denk dat Frederieke en Victor na zo'n avontuur rammelen van de honger en wij moeten ook nog allemaal eten.' Hij steekt zijn hand uit naar de agenten en schudt hen hartelijk de hand. 'Het spijt me vreselijk dat we jullie voor niets hebben laten komen.'

'Geeft niets, want daar zijn we voor', antwoordt de politieman met de hond. Dan steekt hij zijn duim op naar Frederieke en Victor en zegt: 'Geweldig stoer gedaan jongens, jullie zijn een voorbeeld voor iedereen.'

Snel schuift Frederieke bij aan de eettafel, en Victor komt, als vanzelfsprekend, naast haar zitten.

De andere kinderen zijn allemaal nog overdonderd door Frederiekes verhaal en alle gezichten zijn op het tweetal gericht.

Dan voelt Frederieke onder de tafel de voet van Victor zachtjes tegen haar voet aan schoppen. In haar hart maakt een blij poppetje een enorme sprong in de lucht en een glimlach kan ze alleen met de grootst mogelijke moeite onderdrukken.

8 Vragen

‘Zeg Frederieke,’ begint meester Marius later die middag, als de andere kinderen op het speelveld een ingewikkeld balspel aan het spelen zijn, ‘die fietsen van jullie hè, met die lekke achterband ... waar hebben jullie die eigenlijk achtergelaten?’
Zijn onverwachte vraag overvalt haar, omdat ze net geboeid zat te kijken naar Ricardo en Melvin, die zoals altijd aan elkaar zitten te plukken en te trekken.
Ze voelt zich super-de-super omdat ze voor het eerst sinds dagen weer eens iets anders aan heeft kunnen trekken. Haar schone kledingstukken lagen daarnet namelijk ineens weer keurig op een stapeltje op het voeteneinde van haar bed.
De fietsen! Meteen is Frederieke een en al oplettendheid, want ze voelt feilloos aan dat de meester de vraag op een enigszins argwanende toon stelt. ‘Nou, onze fietsen hebben we bij het stationnetje gezet’, antwoordt ze zo onverschillig mogelijk, terwijl ze haar ogen nadrukkelijk op het gesjor van de jongens gericht houdt.
‘Waarom daar’, vraagt de meester, ‘als jullie die fietsen toch al bij de fietsenmaker hadden gebracht?’
‘Nou, nogal wiedes, omdat die fietsenmaker half dood lag te gaan in de ziekenauto en hij toen toch geen banden kon plakken?’

'Oh ja, natuurlijk', mompelt de meester, terwijl hij net als Frederieke naar het gestoei van de jongens kijkt.
Zo blijven ze een hele tijd zitten en hoe langer de meester naast haar blijft zwijgen, des te zenuwachtiger ze wordt.
'Weet je wat het is, Frederieke,' begint de meester dan, 'ik weet bijna zeker dat je het hele verhaal uit je duim hebt gezogen, ik voel het aan mijn winterteen, die altijd gaat steken als ik verzinsels hoor. Ik kan je verhaal natuurlijk controleren, ik zou natuurlijk het ziekenhuis kunnen bellen en kunnen navragen of er vanmorgen inderdaad een man is binnengebracht met hartklachten, maar dat doe ik niet. En weet je waarom niet?'
Frederieke probeert zo onschuldig mogelijk te kijken.
'Omdat ik wéét dat je iets verbergt, maar omdat ik tegelijk vóél dat het niet slecht is. Ik denk dat je een goede reden hebt om de waarheid te verzwijgen. Dus als je alsnog uit jezelf wilt komen vertellen wat er nou werkelijk is gebeurd, dan ben je hartelijk welkom.'
Tot haar grote opluchting gaat de meester dan staan en geeft haar een aai over haar kruin.
Wat oliedom, denkt Frederieke als de meester wegloopt, wat oerstom dat ze die fietsen bij het stationnetje zijn vergeten! Zo makkelijk gaat dat dus: iets straal vergeten en er helemaal niet meer aan denken. Zo werkt dat dus voortdurend in Victors chaotische hoofd: als er belangrijker dingen zijn om aan te denken, vervliegt de rest.

'Omdat ons bezoek aan het openluchtmuseum nogal in het water is gevallen, hebben we een goedmakertje', zegt juffrouw Annelore. 'We hebben een geheimzinnige gast die jullie iets gaat vertellen over zijn werk, en door het

stellen van allerlei vragen mogen jullie raden wat deze meneer voor werk doet.'
'Blèèèh,' doet Melvin lamlendig, 'lekker interessant zeg.'
'Nou, misschien is onze gast wel een wereldberoemde voetballer', zegt juf Annelore.
Melvin en Ricardo gaan meteen rechtovereind zitten en kijken gespannen naar de deur, waar een enigszins gezette, oudere man door binnenkomt.
'Mooi geen voetballer dus', stelt Melvin onmiddellijk teleurgesteld vast en hij zakt weer ongeïnteresseerd onderuit.
Amber begint achter haar hand te giechelen en steekt haar hand op. 'Bent u een liedjeszanger of een toneelspeler?'
'Nee,' antwoordt de mysterieuze gast lachend, 'en ik ben ook geen filmster, al had ik met mijn fantastische uiterlijk niet misstaan op het witte doek.'
'Bent u een astronaut?', wil Frederieke weten. 'Want u lijkt een beetje op Wubbo Ockels, die natuurkundige en ruimtevaarder die in 1985 als eerste Nederlander een vlucht door de ruimte heeft gemaakt.'
'Hè, hè, daar heb je Frederieke weer, hoor,' reageert Diederik geërgerd, 'die moet altijd even laten blijken wat ze allemaal weet.'
'Nou, jij wist dat in elk geval niet', bitst Amber terug.
'Ik geef jullie een aanwijzing', begint de man. 'Ik voel me soms wel een astronaut, want ook ik moet op mijn weg, net als in de ruimte, zorgen dat ik nergens tegenaan bots.'
'Vrachtwagenchauffeur,' gilt Wendelyn, 'of buschauffeur of taxichauffeur.'

'Zal ik het dan maar verklappen?', vraagt de man aan juf Annelore. 'Ik ben een gepensioneerde treinmachinist!' Zodra het verboden woord 'trein' is gevallen, valt de hele groep stil. Sommige kinderen laten het hoofd zakken en kijken schuldbewust naar de vloer.
'Jullie meester heeft mij uitgenodigd omdat jullie onlangs bij een bewaakte spoorwegovergang op de spoorrails hebben gespeeld. Omdat wij willen dat jullie begrijpen dat dat levensgevaarlijk is, kom ik jullie vertellen hoe wij dat als treinmensen ervaren.'
De oude treinmachinist gaat op zijn gemak zitten en begint te vertellen: 'Een auto of vrachtwagen kan soms nog naar links of naar rechts, maar een trein zit vast op de rails en kan nooit uitwijken. Hebben jullie enig idee hoe hard een trein rijdt? Zo'n enorm zwaar vervoermiddel is onmogelijk snel tot stilstand te brengen, het dendert door, zelfs al rem je voluit. Als je voorin in die treincabine zit en je ziet dat er mensen op het spoor staan of langs de treinrails lopen, dan klopt je hart in je keel. Je schrikt je helemaal het apelazarus en je weet dat het vreselijk kan aflopen!'
De man heeft nu de volle aandacht van de kinderen, want zelfs Melvin vergeet op zijn kauwgom te kauwen.
'Er zijn al ontzettend veel mensen dodelijk verongelukt die dachten dat ze nog wel even snel onder neergelaten slagbomen door konden glippen. Omdat ze zich vergisten in de enorme snelheid van de trein zijn ze doodgereden. Ik ken collega-treinmachinisten die daarna nooit meer hun werk konden doen, omdat ze er 's nachts niet meer van konden slapen. Zoiets kun je nooit meer vergeten. Als je iemand met de trein hebt doodgereden, is je leven

totaal verwoest. Er zijn treinmachinisten die nooit meer terug op de trein willen.'
Het is nu doodstil en de kinderen zijn diep onder de indruk van het verhaal van de oude treinmachinist.
'Hebt u wel eens iemand doodgereden?', vraagt Yandara met een zacht stemmetje.
De treinmachinist knikt somber. 'Ja, en ik zou er alles voor over hebben als dat niet was gebeurd, want het laat me nooit meer los. Nog altijd heb ik er nachtmerries van en daarom wil ik jullie op het hart drukken: de spoorweg is geen speelplaats!'

Als de treinmachinist na een heleboel vragen van de kinderen uiteindelijk is uitgezwaaid, heerst er een eigenaardige, bedrukte stemming. Sommige kinderen zijn stil op hun stoel blijven zitten en praten onderling na over de gruwelijke details die ze hebben gehoord. Maar anderen, zoals Melvin en Ricardo, voelen zich te veel aangesproken en doen een beetje lacherig.
'Ik denk dat we even een korte pauze moeten houden', zegt meester Marius, 'en daarna doen we een kleine quiz ter ontspanning.'
'Oh nee, alsjeblieft geen quiz', kreunt Victor, die naast Frederieke is komen zitten. 'Als ik ergens slecht in ben, dan zijn het wel quizzen, en 'ontspannende quizzen' bestaan volgens mij helemaal niet. Dan lukt het me niet om mijn hoofd erbij te houden en dan denkt iedereen natuurlijk weer dat ik dom ben.'
Nadenkend bijt Frederieke op haar lip. 'Geen probleem,' zegt ze dan, 'blijf zitten, want ik ben zo terug.'
Snel rent ze naar de slaapzaal van de meisjes en trekt een

schoolpen uit het pennenvakje van haar tas, evenals het notitieboekje dat ze van thuis heeft meegenomen en dat bedoeld was om alle ellende van de kampweek in op te schrijven.
Even later zit ze glunderend naast Victor, die al met zijn benen zit te schommelen van de zenuwen.
'Kom maar op met die quiz', zegt ze zo zacht dat alleen Victor het kan horen, terwijl ze hem samenzweerderig met haar elleboog een zachte por tegen zijn arm geeft.
'Victor, let op, dit wordt jouw victorie.'
'Huh?'
'Victorie betekent overwinning', fluistert ze en ze tikt nadrukkelijk met haar pen op het opengeslagen notitieboekje.
De eerste vraag van de meester begint met een korte inleiding: 'Frederieke en Victor hebben verteld hoe de fietsenmaker, die een hartaanval had gehad, weer tot leven gewekt moest worden. Wat is het moeilijke woord daarvoor?'
Hè, denkt Frederieke, waarom moet de meester nu weer daarover beginnen, net nu ze het hele verhaal alweer vergeten was?
'Amputeren', schreeuwt Melvin veel te snel en daardoor kan hij rekenen op een enorme schaterlach van Diederik, die van zijn stoel af springt en op één been begint rond te huppelen.
'Nee joh, dat is als ze je verkeerde been afzagen als je op de operatietafel ligt en ze geen kruisje gezet hebben op het been dat eraf moet.'
Vliegensvlug schrijft Frederieke het juiste antwoord op in haar blocnote, stoot haar vriendje aan en laat het zien,

waarna Victor pijlsnel zijn vinger in de lucht steekt.
'Reanimeren', antwoordt hij zelfverzekerd en met een brede lach op zijn gezicht.
'Super', zegt de meester. 'Ja, als je zoiets in het echt hebt gezien, dan vergeet je dat niet meer zo gauw, hè Victor?'
Victor trekt er een bijpassend ernstig gezicht bij en dat doet hij zo komisch dat Frederieke bijna in de lach schiet. Dat is ook iets dat ze leuk vindt aan Victor, bedenkt ze: dat hij haar aan het lachen kan maken.
'Oké,' zegt meester Marius, 'eens kijken of jullie het antwoord weten op deze: ik had jullie gezegd dat jullie niet bij de spoorbaan mochten komen, maar jullie waren heel erg eigenwijs en deden het toch. Geef eens een ander woord voor "heel erg eigenwijs".'
Daar moeten ze allemaal heel lang over nadenken en

eigenlijk wil niemand het antwoord geven, omdat ze genoeg op hun kop hebben gehad.
'Dom?', vraagt Yandara voorzichtig.
Victor heeft inmiddels het antwoord in het notitieboekje van Frederieke gelezen en als ze hem weer een por heeft gegeven, steekt hij opnieuw zijn vinger op: 'Hardleers, denk ik, meester.'
'Sjonge, Victor, het is wel jouw geluksdag, hè? Jij krijgt van mij geen tien, maar zelfs een elf!', zegt de meester en hij kijkt blij verrast naar Victor, alsof hij plotseling beseft dat hij Victors intelligentie in het verleden voortdurend veel te laag heeft ingeschat.
'Een elf ... lollig, hoor,' zegt Fabiënne mopperend, 'maar het is nogal makkelijk om een elf te halen als je naast Frederieke zit die je alle goede antwoorden voorzegt.'
'Ik heb anders niet één antwoord voorgezegd,' reageert Frederieke fel, 'ik heb mijn mond zelfs niet opengedaan, echt niet!' Inwendig moet ze vreselijk lachen om haar eigen slimme antwoord, omdat ze inderdaad niets heeft *gezegd*, maar alles heeft opgeschreven.
Als het vragenspel ten einde is, knijpt Victor haar samenzweerderig in haar arm.
'Hé, zie je dat,' roept Fabiënne net iets te overdreven verbaasd, 'ze hebben echt verkering, Frederieke en Victor.' Er glijdt een gemene uitdrukking over haar gezicht en vlak voordat ze zich hooghartig omdraait, zodat ze het antwoord niet hoeft af te wachten, vraagt ze: 'Waarom val je op hem, Frederieke, omdat jijzelf dan nóg meer opvalt vergeleken bij zo'n onnozel sulletje?'
Maar dan verliest Frederieke haar zelfbeheersing en voor ze zich realiseert wat ze doet, is ze opgesprongen en heeft

ze Fabiënnes lange haar vastgegrepen. Terwijl ze een knietje plaatst in de rug van Fabiënne, geeft ze tegelijk een stevige ruk aan het haar en trekt ze Fabiënne omlaag tot zij plat op de grond smakt.
'Zeg dat nog eens als je durft!', schreeuwt Frederieke met haar gezicht vlak boven haar tegenstandster.

9 Eén-nul

'Whaaah, meidengevecht!', juicht Melvin en hij begint opgewonden om de twee meisjes een vreemd soort indianendans uit te voeren. 'Pas op, jongens, hier gaat vrouwenbloed vloeien.'
Fabiënne probeert uit alle macht los te komen, maar Frederieke duwt haar terug op haar rug en bijt haar toe: 'Neem terug wat je hebt gezegd, lelijke heks.'
'Onmiddellijk ophouden, allebei!', zegt meester Marius met stemverheffing, als hij zich een weg heeft gebaand tussen de samengedromde kinderen. 'Laat haar los, Frederieke, gedraag je alsjeblieft als een dame en niet als een ordinaire straatkat.'
Dat doet de deur dicht, denkt Frederieke. Als de meester nu meent dat zíj de ruzie is begonnen, dan moet hij toch wel stekeblind en Oost-Indisch doof zijn.
'Au, au,' jammert Fabiënne, 'meester, ze trekt aan mijn haar, ze trekt er hele plukken uit!' En dan begint ze zo overdreven te huilen dat Frederieke haar een duw geeft en haar toesnauwt: 'Stel je niet zo aan, joh, huilebalk.'
In één beweging sjort meester Marius de jammerende Fabiënne aan een arm overeind en met zijn blik gericht op Frederieke vraagt hij: 'Wat mankeert jou toch in vredesnaam?'
'Vraag liever aan dat irritante grietje wat ze tegen mij

zei', bijt Frederieke terug. 'Ik deed helemaal niets, hoor. Zij zit mij voortdurend te sarren.'

En nu zitten ze allebei met boze koppen tegenover meester Marius aan de keukentafel van de kampeerboerderij en moeten ze een verklaring geven voor hun 'onverkwikkelijke gedrag', zoals de meester het noemt. De rest is al naar bed gestuurd.
'Frederieke viel mij plotseling aan,' begint Fabiënne, 'zomaar ineens, zonder dat ik iets had gezegd.'
Het is echt ongelooflijk hoe onschuldig die Fabiënne kan kijken, denkt Frederieke. Zou ze dat 's avonds op haar prinsessenkamertje voor haar goudomrande prinsessenspiegel oefenen?
'Is dat waar, Frederieke?', wil de meester weten.
In Frederiekes hoofd werken de radertjes intussen op topsnelheid en haar hersenen wikken en wegen alle mogelijke antwoorden. Als ze nu vertelt dat Fabiënne in welgeteld één zin zowel haar als Victor beledigde, dan moet ze natuurlijk ook vertellen wát Fabiënne precies tegen haar zei en dan zal Fabiënne alles gewoonweg ontkennen, want zo doortrapt en geniepig is ze wel. Nu ze er goed over nadenkt, kan ze beter niet vertellen dat Fabiënne Victor een 'onnozel sulletje' noemde, want als Victor een van de knapste koppen van de klas was geweest, dan had ze Fabiënnes opmerking lachend kunnen wegwuiven, omdat het domweg flauwekul was. Maar ze is er wel degelijk boos om geworden en dat zou Fabiënne het idee kunnen geven dat zijzelf eigenlijk óók vindt dat Victor een dom sulletje is. Dat nooit! denkt Frederieke strijdlustig. Victor is apart, hij is gevoelig, hij

is bijzonder, hij is een buitenbeentje, eigenlijk net zoals zijzelf, maar hij is geen onnozel watje!
'Nou, Frederieke,' herhaalt de meester als haar antwoord op zich laat wachten, 'heb je al iets bedacht waarom bij jou de stoppen zo plotseling doorsloegen?'
'Fabiënne zei dat ik stomme kleren aan heb en dat ik stink', zegt Frederieke met een uitgestreken gezicht, 'en dat hoef ik toch niet te pikken? We hebben niet allemaal van die peperdure prinsessenkleertjes zoals Fabiënne en Wendelyn.'
De verbazing is van Fabiënnes gezicht af te scheppen, en als ze niet tegenover de meester zouden zitten die ze aan een serieus kruisverhoor onderwerpt, zou Frederieke nu in schaterlachen uitbarsten.
Fabiënnes ogen rollen bijna uit haar oogkassen, haar mond valt open en ze kijkt in opperste verbazing naar Frederieke.
'Heb je dat inderdaad gezegd?', vraagt de meester ernstig.
'Eh ... nee eh ... ik eh ...', stottert Fabiënne.
'Eerlijk antwoord geven, Fabiënne,' dringt meester Marius aan, 'er niet omheen draaien.'
'Eeeehhhh ...', doet Fabiënne nog steeds verward.
De meester trommelt geërgerd met zijn vingers op de keukentafel, omdat hij waarschijnlijk wel aanvoelt dat de meiden hem iets op de mouw proberen te spelden, maar geen idee heeft waar de leugens precies verstopt zitten. 'Dat is niet erg aardig van je, Fabiënne', zegt hij uiteindelijk. 'Opmerkingen over iemands uiterlijk zijn heel oneerlijk en getuigen van weinig respect.'
'Maar ik ... eh ...', doet Fabiënne tegensputterend.

‘Jij wat?’
‘Niks.’
‘We spreken één ding af,’ besluit meester Marius dan, ‘we behandelen elkaar met respect. Vervelende opmerkingen naar elkaar worden niet geaccepteerd. Nu geven jullie elkaar een hand, bieden elkaar je verontschuldigingen aan en maken het weer goed. En daarna gaan jullie als de wiedeweerga naar bed, want het is de hoogste tijd.’
Mooi zo, één-nul voor mij, denkt Frederieke en ze steekt zogenaamd vergevingsgezind als eerste haar hand uit naar Fabiënne en zegt: ‘Sorry dat ik de haren uit je hoofd heb getrokken.’
Fabiënne beantwoordt haar excuses met een flauw hoofdknikje.
‘Fabiënne,’ zegt de meester streng, ‘wat hebben we nou zojuist afgesproken?’
‘Sorry dat ik eh … dat ik je heb beledigd’, zegt Fabiënne met zichtbare tegenzin.

10 Schatzoeken

'Ik hoop dat we naar zo'n waanzinnig pretpark gaan,' zegt Ricardo, 'of naar een super-de-luxe wildwaterbaan.'
'Als het maar niet weer zo'n openluchtmuseum is,' zegt Melvin, 'want al dat culturele gedoe vind ik drie keer geeuwen.'
Na het ontbijt hebben alle kinderen zich verzameld op het terras aan de voorkant van de kampeerboerderij en nu staan ze te gissen wat de verrassing zal inhouden die de meester heeft aangekondigd.
Victor ziet het somber in: 'Wedden dat de meester weer een fietstocht heeft bedacht die dan eindigt in een dierenpark en dat we dan uit ons hoofd moeten uitrekenen hoeveel pinguïns er op een vierkante meter passen?'
Frederieke schiet in de lach en geeft hem met haar elleboog een plagerig stootje tegen zijn ribben.
'Hé, Fabiënne, je hebt gelijk,' klinkt Diederiks stem achter hen zo hard dat iedereen het kan horen, 'Victor is ook op Frederieke ... Hahaha, moet je kijken, het griezelechtpaar staat verliefd te smoezen.'
Fabiënne reageert onmiddellijk op de stem van haar held en begint heel flirterig te lachen: 'Dat zei ik gisteravond toch al?'
Frederieke wil net iets verpletterends terugzeggen over Fabiënnes hopeloze verliefdheid op Diederik als de

meester in zijn korte broek in de deuropening verschijnt, met een witte pet op zijn hoofd waarop hij met een zwarte viltstift *Gids* heeft geschreven. 'Iedereen present?', vraagt hij.
'Honderd procent', antwoordt Melvin, die doet alsof hij een militaire groet brengt.
'Gisteravond,' begint meester Marius, 'toen jullie al in dromenland verkeerden, hebben juf Annelore en ik ergens een schat verborgen. Om jullie op weg te helpen om de schat te vinden, krijgen jullie vandaag een paar simpele aanwijzingen.'
'Wat voor schat, meester?', wil Yandara weten. 'Is het zo'n ouderwetse piratenschatkist met gouden kettingen en armbanden erin of zo?'
'Hmmm, een schatkist, een schat, een onverwachte vondst, een verborgen geheim ... wie zal het zeggen', antwoordt meester Marius, terwijl hij geheimzinnig knipoogt naar juf Annelore, die al even mysterieus kijkt en haar schouders ophaalt.
'Maar waar moeten we dan zoeken?', vraagt Melvin.
'En hoe kun je nou iets zoeken als je geen idee hebt wat het is?'
'Heel slim geredeneerd, Melvin', zegt meester Marius grinnikend, 'en dat is nou net het bijzondere aan deze opdracht. Je weet niet wat je zoekt, maar als je het vindt, dan weet je onmiddellijk: dit is de alles overtreffende schat.'
'De meester overdrijft, hoor,' zegt Jasper grinnikend, 'het is vast een of andere waardeloze schat; een doos met blikjes fris of zo, waar we dan heel moeilijk voor moeten doen.'

'Ik snap er nu al geen sikkepit van', moppert Ricardo. 'Laat mij maar lekker voetballen en dan hoor ik wel wie de winnaar is.' Intussen speelt hij met zijn mobieltje, dat steeds verschillende beltonen laat horen, variërend van een huilende baby tot een loeiende koe.
'Kijk, hier', wijst de meester met zijn wijsvinger op een getekende landkaart, 'staat onze kampeerboerderij, bij dat kubusvormige blokje, en daar beginnen jullie met jullie speurtocht naar de schat, die verborgen is op een van de vijfentwintig plekken die ik op de landkaart heb aangegeven met een vraagteken.'
'Hallo hé, vijfentwintig plaatsen?', jammert Fabiënne, terwijl ze dramatisch met haar hand tegen haar voorhoofd slaat. 'Daar zijn we dan mooi de hele dag mee bezig!'
'En dat is nog niet eens alles,' zegt de meester met een gespeeld kwaadaardige blik in zijn ogen, 'want ergens heb ik nog opzettelijk een fout gemaakt in mijn tekening en ook die fout moeten jullie ontdekken.'
Victor perst een diepe zucht tussen zijn lippen door, waarna hij afwezig met zijn vingertoppen op zijn wangen begint te trommelen.
Frederiekes hersenen zijn inmiddels klaarwakker, want een opdracht waarbij ze een probleem moet oplossen vindt ze heel wat spannender dan zo'n dom balspel, of dat stomme spijkerpoepen dat ze vorig jaar op het schoolplein deden bij het twintigjarig bestaan van de school. Wat was dat een belachelijke en vernederende vertoning.
De meester vouwt de plattegrond van de omgeving weer op en zegt: 'Het is de bedoeling dat jullie samenwerken.

En geef mij maar meteen alle mobieltjes, want die hebben we niet nodig.'
Met tegenzin worden er een paar mobiele telefoontjes ingeleverd.

Frederieke is zo gespitst op het zoeken naar mogelijke aanwijzingen, dat ze eerst niet heeft gemerkt dat Victor naast haar is komen lopen. Hij ziet er een beetje grauwig uit en loopt met zijn gezicht naar de grond gericht.
'Wat is er,' vraagt ze, 'baal je van de puzzeltocht?'
Victor graait met zijn rechterhand door zijn haren en dan laat hij een zucht horen die ongeveer vanuit zijn tenen komt. 'Ja, ik haat puzzeltochten, maar ik moet ook steeds aan Johan denken', fluistert hij. ''s Nachts denk ik: als ik hem niet had meegenomen en hem niet voortdurend in mijn rugtas had verstopt, had hij nu misschien nog geleefd.'
De hele puzzeltocht interesseert Frederieke op slag geen millimeter meer. Dit is pas erg, denkt ze, want Victor voelt zich schuldig, en zo te zien begint het schuldgevoel hem boven het hoofd te groeien. Kijk maar, het zit al in zijn haren, want hij woelt er steeds met zijn hand door.
'Maar hij was toch niet lekker geworden nadat hij een nacht aan de wandel was geweest?', zegt ze na een tijdje. 'Dan is het toch niet gebeurd omdat je hem in je tas verborgen had?'
'Toch loop ik er voortdurend over te piekeren', zegt Victor. 'Als ik dit had geweten, was ik nooit op schoolreisje gegaan, maar was ik thuisgebleven bij Johan.'
Amber en Melvin maken inmiddels ruzie over de aanduiding van een plek, want volgens Melvin kan de

meester onmogelijk een zitbankje hebben uitgekozen om er een schat te verbergen.
'Misschien zit er iets ónder de bank vastgeplakt,' houdt Amber eigenwijs vol, 'kijk eens goed onder de zitting.'
Ricardo gaat demonstratief op zijn hurken bij het bankje zitten en kijkt onder de zitting. 'Niks hoor, gewoon doorlopen naar de volgende vraagtekens', roept hij.
'Misschien was Johan al ziek toen je hem van huis meenam', zegt Frederieke. 'Hamsters worden nooit zo oud, toch?'
'Hooguit drie jaar of zo,' antwoordt Victor, 'maar ik weet eigenlijk niet hoe oud Johan precies was toen ik hem kreeg.'
'Misschien was het gewoon zijn tijd,' bedenkt ze, 'en in dat geval was het juist fijn dat hij bij jou was toen hij overleed. Als hij alleen thuis was gebleven had hij ook nog eerst heimwee naar jou gehad en dat was nog veel erger geweest. En we hebben toch zelf gezien dat Johan als een vlinder is opgestegen en op weg was naar de hemel?', zegt ze zacht.
Victor knikt en lijkt een beetje opgelucht. 'Ja, dat is zo.'
In de groep ruziën de klasgenoten ondertussen over de vage aanwijzingen op de kaart van de puzzeltocht.
'Misschien houd je de kaart ondersteboven', oppert Melvin.
'Natuurlijk niet,' snauwt Diederik terug, 'want dan zouden de vraagtekens toch op hun kop staan?'
'Ik vind er nu al helemaal geen hondendrol meer aan', zegt Ricardo, die aan de kant van het bospad is gaan zitten en verveeld steentjes wegkeilt in de richting van Ambers benen.

‘Wedden dat de schat een of andere pot met snoep is of zo’, zegt Yandara teleurgesteld. ‘Het is echt iets voor de meester om ons zo in de maling te nemen, en intussen staat hij van een afstandje lachend te kijken hoe wij lopen te klunzen.’
Frederieke wringt zich een weg tussen haar klasgenoten door en vraagt: ‘Mag ik eens kijken naar die plattegrond?’
‘Oh ja, daar heb je haar weer, hoor,’ doet Diederik neerbuigend, ‘mevrouw hoogbegaafdheid denkt dat ze alles beter weet. Hahaha, Frederieke, je haar heeft vieze pieken.’
Frederieke trekt zich niets aan van Diederik, die zijn eigen woordgrapje het toppunt van humor vindt en uit pure balorigheid Jasper een stomp tegen zijn arm geeft.
‘Er klopt iets niet,’ stelt Frederieke al gauw vast, ‘kijk maar naar het tekeningetje van onze kampeerboerderij met de toiletten erop. Die staan niet aan de linkerkant, maar aan de rechterkant van het gebouw, dus ...’ Ze draait de plattegrond om en houdt hem tegen het licht.
‘Weet je wat ik geloof?’, zegt ze peinzend. ‘Dat dit de fout is die de meester opzettelijk heeft gemaakt: we moeten de tekening in spiegelbeeld lezen.’
Diederik houdt acuut op met zijn hinderlijke gelach en kijkt Frederieke stomverbaasd aan. ‘Krijg nou de water-pokken.’
Als ze opkijken, zien ze achter zich meester Marius en juffrouw Annelore afwachtend staan kijken met hun fiets aan de hand.
‘We hebben u door, meester!’, schreeuwt Jasper. ‘U had de tekening binnenstebuiten getekend, maar we hebben het ontdekt.’

Meester Marius slaat zogenaamd balend met zijn vlakke hand op het fietsstuur en roept terug: 'Konijnenkeutels, dat hadden jullie pas veel later moeten ontdekken. Wat zijn jullie een intelligent stelletje boeven!'
Diederik kan het niet uitstaan dat Frederieke de sleutel tot de puzzeltocht heeft gevonden. 'Het kwam gewoon door die opmerking van Melvin dat ik de tekening ondersteboven hield,' moppert hij, 'daardoor zag zij het toevallig.'
'Weet je wat we kunnen doen om tijd te winnen?', zegt Frederieke en zonder het antwoord af te wachten geeft ze zelf de oplossing: 'We gaan ons opsplitsen in een paar groepen – dat scheelt een heleboel tijd – en dan komen we na afloop allemaal naar de kampeerboerderij en dan zien we wel wie de schat heeft gevonden.'
Diederik vindt het vanzelfsprekend een waardeloos plan. 'Maar', zegt hij, 'dan wint er maar één groep en van wie is de schat dan?'
'Wat maakt dat nou uit,' zegt Ricardo, die er meteen voor is, 'dan delen we de schat toch gewoon?'
Ze besluiten erover te stemmen en met genoegen ziet Frederieke dat de meeste vingers omhoog gaan bij haar voorstel. Vervolgens worden de groepen ingedeeld en tot haar opperste verbazing kiest Diederik haar als een van de eersten in zijn eigen groepje.
'Ik heb hem wel door, hoor,' fluistert Victor, 'want met jou in de groep maakt hij meer kans om te winnen.'

Inmiddels is hun groepje al pratend en dollend van het pad afgeweken en zijn ze opnieuw in de buurt achter het kleine stationnetje.

'Daar dan,' wijst Ricardo naar een roestige container die verderop op een grasveldje staat, 'is dat groot genoeg om een schat in te verstoppen?'
Ricardo is een echte straatjongen en op zijn afgetrapte gympen is hij veel sneller dan die stijve Diederik met zijn staakbenen, en zelfs nog sneller dan zijn eigen schaduw. Hij klimt meteen boven op de container en begint als een bezetene op het metalen geval rond te stampen onder het uitroepen van wilde overwinningskreten. Dan steekt hij zijn hand uit naar Melvin, die zich met één voet tegen de zijkant van de container als een kat omhoog klauwt. Diederik kan dat onmogelijk, want hij mist de lenigheid van zijn klasgenoten, maar hij is wel erg gebrand op de overwinning. En dus loopt hij zogenaamd onderzoekend om het gevaarte heen en rammelt aan iets dat op een deur lijkt. Nog het meest tot zijn eigen verbazing schiet de deur met een knarsend geluid een beetje open. Als Ricardo en Melvin dat horen, staan ze binnen de kortste keren weer op de grond en ze verdringen zich voor de opening.
'Allemensen, wat een stank', zegt Melvin. 'Het lijkt op kattenpislucht, maar dan van dode katten.'
'Nou, hier heeft de meester echt niets in verborgen, hoor,' zegt Frederieke, 'anders had hij vandaag wel naar die gore stank geroken en vanmorgen rook ik alleen maar aftershave bij hem.'
'Dat is alleen maar om ons te misleiden,' zegt Ricardo, 'ik durf te wedden dat dit de ideale plek is voor een verborgen schat.'
'Nou, dan ga jij er toch lekker in om het te onderzoeken', antwoordt Jasper. 'Wij wachten wel.'

Je kunt zien dat Ricardo het waarachtig nog overweegt ook, want hij trekt de deur nog wijder open en doet alsof hij in de manshoge container wil stappen, maar op het allerlaatste moment deinst hij terug.
'Durf je niet?', plaagt Diederik hem. 'Ben je bang dat er vol gepoepte stinkluiers in liggen of denk je dat we toevallig een afvalberg met wiet hebben gevonden?'
'Jij wel dan?', zegt Melvin, en terwijl hij dat zegt, duwt hij Diederik de donkere container in.
In een paniekreactie grijpt Diederik bliksemsnel de mouw van de trui van Melvin, waarna hij hem meetrekt. Vrijwel tegelijkertijd geeft Ricardo een zet tegen de deur, en als de deur dichtslaat, drukt hij met zijn hand op de vergrendeling. 'Gefopt, sukkels!' Ricardo bonkt met zijn vuisten op de deur en komt bijna niet meer bij van het lachen.
'Doe even normaal,' zegt Victor aangedaan, 'straks stikken ze nog.'
Ach, nu moet Victor natuurlijk weer aan zijn hamster terugdenken die misschien ook wel gestikt is, denkt Frederieke, en ze probeert de deur weer te openen.
De jongens staan nog steeds te lachen, totdat Frederieke de deur niet open kan krijgen, hoe hard ze ook trekt.
'Oh, bommels,' zegt Victor met een samengeknepen keelgeluid, 'de deur zit vast.'
In zijn ogen is paniek te lezen en Frederieke begrijpt dat de tijd voor flauwe grappen echt voorbij is.

11 Help!

Ricardo probeert het nu ook, eerst nog wat lacherig, maar het lachen vergaat hem al snel als het ook hem niet lukt. Het ijzer geeft geen millimeter mee. Geschrokken horen ze het gedempte geschreeuw van de jongens in de container, die op de potdichte deur beginnen te bonken. Ricardo probeert hem nogmaals te openen, maar helaas tevergeefs. 'Het komt door de roest,' zegt hij paniekerig, 'en omdat het slot helemaal verbogen is.'
'We moeten de meester roepen,' zegt Jasper, die van een afstandje met grote angstogen staat toe te kijken, 'of de politie bellen ... als we onze mobieltjes hadden.' Hij kijkt om zich heen en begint met een hese stem om de meester te roepen. 'Meester! Meester!'
'Misschien is hij bij een van de andere groepen', zegt Ricardo. 'Ik ga hem wel halen.' Onmiddellijk voegt hij de daad bij het woord en begint te hollen, met Jasper achter zich aan.
Heel even, echt niet meer dan een seconde, komt er een wraaklustige gedachte bij Frederieke op. Nu kan ze Diederik, haar ergste kwelgeest uit de klas, lekker een lesje leren. Eigen schuld, dikke bult, Diederik, moet je maar niet altijd zo opscheppen. Dit is je verdiende loon voor al die stomme opmerkingen en je aanhoudende gepest.

Ze kan nu doodgemoedereerd weglopen en Diederik in zijn sop laten gaarkoken: dat is de wraak van Frederieke, de verschrikkelijke. Maar die kwaadaardige gedachte duurt maar heel even, want het volgende moment is ze al op zoek naar een stuk ijzer of een stevige tak waarmee de vergrendeling misschien open te breken is.

Het is warm en het kan niet anders of de temperatuur in de container begint flink op te lopen. Diederik en Melvin denken natuurlijk dat de anderen de deur expres blokkeren. Je hoort ze schelden en foeteren, bidden en smeken.
Intussen rukken en trekken Frederieke en Victor nu samen aan de deurvergrendeling.
Victor gooit zijn hele gewicht ertegenaan, loopt dan weer weg, grijpt wanhopig in zijn haar en zakt op zijn knieën op de grond. 'Het gaat niet, het is onmogelijk!', schreeuwt hij met zijn mond vlak bij de onwrikbare deur.
Het aanhoudende gejammer van de jongens is bijna niet om aan te horen.
Tegen de tijd dat Ricardo en Jasper de meester of de juffrouw hebben gevonden, zijn hun klasgenoten allang gestikt, denkt Frederieke. 'Ik weet wat,' zegt ze, 'ik ga die man halen die hier vlakbij woont, die kerel die ons heeft uitgefoeterd toen we bij de spoorwegovergang waren. Blijf jij hier proberen om de deur open te breken, en Victor ... vertel dat ik hulp ga halen!'
Zo hard ze kan, sneller en langer dan ze ooit in haar hele leven heeft gerend, holt ze naar het huis met het rieten dak, dat de man hun had aangewezen. Nauwelijks

halverwege ziet ze de man met zijn hond buiten op straat wandelen. 'Meneer!', gilt ze en ze zwaait met haar armen net zolang tot hij aarzelend blijft staan. Als ze voor hem staat, kan ze bijna geen woord uitbrengen, zo erg is ze buiten adem. 'Help alstublieft, meneer, er zitten twee jongens opgesloten in een container, daar!'
De man met de hond kijkt eerst argwanend, maar als hij de onverholen paniek in Frederiekes ogen ziet, begrijpt hij dat het menens is. Hij doet een greep in het borstzakje van zijn overhemd en vist er snel een mobieltje uit. 'Waar precies?', vraagt hij. 'Zitten ze in die donkerblauwe container op dat grasveldje?'
Zijn vingers toetsen het alarmnummer 1-1-2 in en zodra een centralist zijn oproep beantwoordt, geeft hij alle informatie door die Frederieke hem hijgend vertelt.
'De brandweer komt er zo aan', zegt hij als hij zijn mobieltje weer in zijn overhemd laat glijden.
Frederiekes hart bonkt nog in haar keel als ze voor de man uit terugholt naar de container. Het zweet loopt inmiddels over haar gezicht en haar T-shirtje plakt aan haar lichaam, maar Frederieke merkt het niet eens en houdt haar blik gericht op de container waarin de jongens nog steeds opgesloten zitten.
Daar is Victor bezig met een grote steen op de ijzeren vergrendeling te rammen, zo fanatiek, dat hij niet eens merkt dat Frederieke alweer terug is.
'Victor,' hijgt ze, 'we hebben de brandweer gebeld, ze komen eraan!'
De oude man heeft de riem van zijn hond losgemaakt zodat hij sneller kan lopen en de hond loopt blaffend van alle opwinding met hem mee.

'Jongens,' schreeuwt Frederieke op de toppen van haar longen, 'we hebben de brandweer gebeld! Hou nog even vol!' Maar door het geblaf van de hond kan ze niet horen of de jongens antwoorden.
Als het maar niet te laat is.

Ze hebben herhaaldelijk van alles geprobeerd, maar het roestige sluitmechanisme geeft geen millimeter mee.
'Ze reageren niet meer!', roept Victor over zijn toeren. 'Misschien zijn ze flauwgevallen.'
De oudere man heeft tot overmaat van ramp in een verwoede poging om de vergrendeling kapot te slaan zijn hand opengehaald, en het bloed sijpelt langs zijn pols zijn overhemdsmouw in.
Net als Victor wanhopig neerzakt, met zijn rug tegen de container, horen ze de sirene van de brandweer.
En dan gaat het allemaal razendsnel. De brandweerman die als eerste uit de brandweerwagen springt, heeft een indrukwekkend breekijzer bij zich en daarmee breekt hij na een paar mislukte pogingen met een krakend geluid de deur open.
Onmiddellijk schijnt hij met een zaklamp de container in. Daar liggen ze, Diederik en Melvin, vlak voor de uitgang, en ze liggen doodstil. Een andere brandweerman stapt de container in en tikt de jongens op hun wang. De stank die uit de container naar buiten waaiert, is bijna ondraaglijk.
In alle opwinding én omdat ze zo gespannen staat te kijken, heeft Frederieke niet eens gemerkt dat er intussen een tweede auto naast de brandweerwagen parkeert: een ziekenauto. Twee ambulancemedewerkers staan in een

paar tellen bij de container en onderzoeken de jongens. Ze reageren heel suffig op de vragen van het ambulancepersoneel. Hun rode gezichten zien er vreemd opgeblazen uit, alsof ze urenlang onder een te hete douche hebben gestaan.
'Ze zijn waarschijnlijk door de hitte bevangen,' is de vaststelling van een van de broeders, 'maar voor alle zekerheid nemen we ze mee naar het ziekenhuis.'
Dan ziet zijn collega de bloedende wond aan de hand van de oude man. 'Rijdt u ook meteen maar even mee naar het ziekenhuis,' zegt hij, 'want dat ziet er niet erg gezond uit en met al die roest heb je voor je het weet een bloedvergiftiging.'
'En mijn hond dan?', vraagt de man.
'Die kan niet mee, want huisdieren zijn verboden in het ziekenhuis.' De ambulancebroeder kijkt naar Frederieke en Victor. 'Kunnen jullie die hond misschien even naar huis brengen?'
Ondertussen worden Diederik en Melvin, die er nog behoorlijk versuft uitzien, in de ambulance geholpen.
'Ja, dat is goed,' zegt Frederieke, 'we weten waar hij woont.'
'Hij heet Rover', roept de oude man nog, terwijl hij ook in de ziekenauto stapt, 'en mijn vrouw is thuis ... Familie Ballegooijen ... staat op het naamplaatje bij de deur.'
De deur van de ambulance wordt dichtgegooid en onmiddellijk daarna rijdt de ziekenauto het terrein af, paniekerig nageblaft door Rover, die nu waarschijnlijk denkt dat zijn baas wordt ontvoerd.
'Kom,' zegt Frederieke als ze de riem aan Victor heeft

gegeven, 'eens kijken of hij ons als tijdelijke baasjes accepteert. Rover, naar huis!'
Dat woord werkt als een toverformule, want de hond spitst zijn oren en zet er onmiddellijk stevig de pas in.

Mevrouw Ballegooijen is stomverbaasd als ze haar hond met twee wildvreemde kinderen voor de deur ziet staan. Frederieke legt kort en bondig uit wat er is gebeurd en de vrouw reageert op alles met: 'Ach, nee toch, wat verschrikkelijk, ach, wat erg, nee toch!'
Intussen drinkt Rover slobberend water uit zijn hondenbak om zijn doorstane emoties weg te werken. Daarna gaat hij met een zucht liggen, naast Victor, die op de grond is gaan zitten met zijn benen recht vooruit.
'En weet jullie meester nu dat jullie hier zijn?', vraagt de bazin van Rover als ze voor de kinderen limonade heeft ingeschonken.
Ze kijken elkaar geschrokken aan: 'Nee, en hij weet ook niet eens dat Diederik en Melvin zijn meegenomen naar het ziekenhuis.'
'We moeten naar de kampeerboerderij bellen,' zegt Frederieke, 'alleen weten we het telefoonnummer niet.'
Mevrouw Ballegooijen haalt meteen een dik telefoonboek tevoorschijn en vraagt: 'Hoe heet dat kamphuis van jullie ook alweer?'
'Kampeerboerderij de Albertushoeve', weet Frederieke.
'Oh ja,' zegt mevrouw Ballegooijen enigszins raadselachtig, 'dat wisten we al.'

De telefoon is al diverse keren overgegaan als eindelijk de kampeerboerderijbeheerder opneemt. Aan hem vertelt

Frederieke wat er is gebeurd. ‘Zegt u maar dat de meester zich geen zorgen hoeft te maken’, zegt ze op haar meest volwassen toon.
Inmiddels is er een jong katje zelfverzekerd, met een rechtopstaande staart, de keuken in komen lopen en al snel volgen er een tweede en een derde. De bazin van Rover tilt een van de kittens op en kriebelt het diertje onder zijn kin.
‘Dit zijn de kinderen van onze aanlooppoes’, legt ze uit. ‘Een mager scharminkeltje dat waarschijnlijk geen thuis had en toen maar besloten heeft om haar nestje bij ons ter wereld te brengen.’
Victor klopt uitnodigend op zijn been, waarop een van de jonge katjes meteen reageert door aanhalig tegen zijn broek kopjes te geven. Als Victor het beestje heeft opgetild en het voorzichtig aait, begint het meteen te snorren van plezier.
‘Hij vindt je lief’, zegt Frederieke.
Dan komt er nog een katertje de keuken in lopen. Deze is heel verlegen: als Victor met zijn vingers op de grond trommelt, is het diertje wel nieuwsgierig, maar durft niet dichterbij te komen. Victor schuift steeds een beetje dichter naar hem toe, net zolang tot hij het beestje languit op de vloer liggend kan aanraken. Verbazingwekkend genoeg laat het katertje het nog toe ook.
‘Victor is een echte dierenvriend,’ legt Frederieke volkomen overbodig uit aan mevrouw Ballegooijen, ‘en dat voelen dieren, hè?’
‘Dat moet wel,’ zegt mevrouw Ballegooijen glimlachend, ‘want dit katertje is heel erg teruggetrokken en laat zich eigenlijk nooit door iemand vastpakken.’

Zoals Victor nu naast de hond zit, zo ontspannen en tevreden met het verlegen katertje op zijn schoot, lijkt hij volkomen op zijn gemak in zijn eigen gedachtewereld. Zo langzaam mogelijk, om het moment van afscheid nemen te rekken, nipt Frederieke van haar limonade, maar als het glas uiteindelijk dan toch leegraakt, zegt ze: 'We moeten nu gaan, Victor, want als we zo lang wegblijven, dan ontploft de meester.'

12 Ernstige gesprekken

'De meester is woedend,' meldt Fabiënne triomfantelijk zodra ze de kampeerboerderij zijn binnengeslenterd, 'ik denk dat jullie morgen de hele dag straf krijgen.'

'Lekker belangrijk,' antwoordt Frederieke zogenaamd onverschillig, maar als ze de meester en juf Annelore ziet binnenkomen, zet ze zich bij voorbaat al schrap. Normaal is de meester altijd heel joviaal en ontspannen, maar nu staat er een geschrokken uitdrukking op zijn gezicht.

'Oh, gelukkig, daar zijn jullie,' zegt hij tegen Frederieke en Victor, 'ik heb behoorlijk in de zenuwen om jullie gezeten.'

'Om ons?', vraagt Frederieke. 'Waarom?'

'Om jullie en om de anderen uit de klas. We moeten eens ernstig praten met elkaar.'

'Waar zijn Diederik en Melvin?', wil Victor weten. 'Zijn ze nog steeds in het ziekenhuis?'

'Ja, juf Annelore is op weg om ze op te halen. Ze hebben niets aan dat nare avontuur overgehouden, maar een verpleegkundige zei dat ze flink moeten douchen en dat die smerige lucht waarschijnlijk nooit meer uit hun kleding gaat.' Daarna kijkt hij Frederieke en Victor onderzoekend aan. 'En waar hebben jullie al die tijd uitgehangen?'

'Nou, het zit zo ...', begint Frederieke, maar de meester onderbreekt haar.
'Vertel het straks maar, als we er allemaal bij zijn.'
'Wat is er met de meester?', vraagt Frederieke, als hij wegloopt. 'Hij doet zo raar, zo zenuwachtig.'

Eindelijk zitten ze allemaal om de open haard, waarin het vuur uitbundig knettert en waar af en toe een vonk uit de vuurkorf spat. Als laatsten schuiven Diederik en Melvin aan, een beetje schutterig en met een rood hoofd van de hete douche waar ze bijna een halfuur onder hebben gestaan.
'Poeh hé,' zegt Jasper als ze zijn bijgeschoven, 'jullie meuren nog steeds. Of heb je net een stinkende wind gelaten?' Hij wappert met zijn hand voor zijn neus en zet demonstratief zijn stoel een eindje verderop.
Ze ruiken het allemaal. Het is een doordringende lucht die als een deken om de jongens heen hangt.
'Bah, je hebt je haar toch wel gewassen?', vraagt Amber. 'Oei wat een lucht, je ruikt naar rottende eieren. Of heb je weer dezelfde kleren aangetrokken?'
Meester Marius kucht zenuwachtig en beweegt zijn hand met een vermoeid gebaar over zijn ogen. 'Jongelui,' begint hij, 'we moeten eens ernstig met elkaar praten.' Zijn ogen zoeken de groep af. 'Te beginnen bij Diederik en Melvin, die volgens mij hun klasgenoten moeten bedanken voor hun heldhaftige optreden. Ik bedoel dan vooral Frederieke en Victor, die als enigen bij jullie zijn gebleven toen jullie opgesloten zaten in die container.'
Frederiekes mond valt bijna open, want ze had van alles verwacht, maar geen afgedwongen complimentje van

Diederik. Nu zijn alle ogen op haar gericht en van al die ogen kijken die van Fabiënne het meest vals naar haar.
'Wat heeft ze dan gedaan,' vraagt Fabiënne, 'behalve dat?'
'Ze heeft hulp gehaald en zonder assistentie zaten de jongens nog steeds opgesloten.'
'Dat is niet helemaal waar,' protesteert Jasper, 'wij waren ook hulp gaan halen, wij zochten u, hoor meester. Had u onze mobieltjes maar niet moeten afpakken.'
'Sja, je hebt gelijk, Jasper, ook ik moet het boetekleed aantrekken.' En als hij hun vragende gezichten ziet, voegt hij eraan toe: 'Ik ben een waardeloze groepsleider, want ik was er niet toen jullie mij nodig hadden. Dat spijt mij meer dan ik zeggen kan.'
Heel even is het doodstil in de woonkamer van de kampeerboerderij.
'Het kwam omdat wij nooit hadden verwacht dat jullie in kleinere groepen zouden gaan zoeken naar de schat', zegt juf Annelore. 'We hadden de zoektocht juist opgezet om jullie samenwerking te leren.'
'Daarom hadden we de kaart zo ingewikkeld gemaakt,' gaat meester Marius verder, 'opdat jullie als klas de oplossing zouden zoeken. We vermoedden niet dat iemand zo slim was te ontdekken dat de kaart in spiegelbeeld was afgedrukt. We dachten dat jullie van kruisje naar kruisje zouden lopen en dan balend terug zouden keren naar de kampeerboerderij.'
'Waar slaat dat nou op?' Ricardo is gaan staan van verontwaardiging. 'En die fantastische schat dan?'
'Die schat was al die tijd hier in de kampeerboerderij',

zegt meester Marius. 'Geluk is altijd dichterbij dan je denkt, dát wilden we jullie laten zien.'
'Wat een instinker! En wat is die schat dan?', wil Ricardo weten.
'De schat is geen cadeau dat je kunt uitpakken of een ding dat je mee naar huis kunt nemen', antwoordt de meester. 'Het was een uitnodiging van ons aan jullie voor een bonte avond. Wij wilden jullie duidelijk maken dat de mooiste cadeaus ontstaan als je samen ergens van geniet.'
'Sjonge, is dat alles? Wat flauw, wat een afknapper', moppert Ricardo.
'En toen ging alles verschrikkelijk mis', vervolgt meester Marius, Ricardo's opmerking negerend. 'Jullie vielen in groepjes uiteen en toen raakten juf Annelore en ik het overzicht kwijt, en dan gebeurt er zoiets ellendigs als wat jullie vanmiddag hebben meegemaakt. Ik bied jullie mijn oprechte verontschuldigingen aan. We hadden er moeten zijn. Het was ongelooflijk stom van mij. Ik ben een waardeloze meester als ik jullie veiligheid niet eens kan garanderen. Echt waar, ik kan mezelf wel voor mijn hoofd slaan.'
De hele klas zit er bedremmeld bij en niemand durft te reageren.
'Ik heb er overigens wel van geleerd, want zoiets zal me een volgende keer niet weer overkomen. Maar gelukkig hebben Victor en Frederieke bewezen dat ze betrouwbaarder zijn dan ik. Ik vind dat ze een applausje hebben verdiend voor hun doortastende optreden, vind je niet, Diederik?'
Nadrukkelijk kijkt Diederik een andere kant op, maar

als het verder akelig stil blijft, knikt hij met zichtbare tegenzin en hij begint in een treiterend traag tempo te klappen.
Frederieke bijt op haar lip en wenst vurig dat ze ergens anders was, want dit is wel het laatste wat ze wil: een afgedwongen applaus van Diederik.
Dan gaat ineens de deur open en verschijnt de kamphuisbeheerder met twee agenten in zijn kielzog. 'Deze heren willen graag iets vertellen', zegt hij. 'Ik weet niet wat het is, maar ik hoop dat het niet weer gelazer is,' voegt hij er zichtbaar slechtgehumeurd aan toe, 'want de Albertushoeve krijgt zo wel een belabberde naam.'
'Nou, dat valt wel mee', haakt een van de agenten er meteen op in. 'We hebben vanuit het ziekenhuis een melding gekregen over twee jongens die daar waren gebracht in verband met onvrijwillige opsluiting in een container.'
'Ja, dat waren wij', zegt Melvin, terwijl hij ook naar Diederik wijst.
Als de agent dichterbij komt, begint hij te lachen. 'Ja, dat ruik ik.'
'Ze stinken nu nog,' zegt Jasper, terwijl hij zijn neus dichtknijpt, 'naar wekenlange oksellucht.'
'Dat is precies de reden waarom we hier zijn. In het ziekenhuis vond men de lucht nogal verdacht. Hij was zo doordringend en onverklaarbaar, dat ze ons hebben gewaarschuwd. De hele afdeling spoedeisende hulp stonk naar gieren toen de jongens er waren geweest. We hebben op aanwijzingen van een meneer die ook mee naar het ziekenhuis was gekomen, onderzoek gedaan naar de container.' De agent zwijgt even, zodat de spanning

lekker wordt opgebouwd. 'En wat bleek? De container zat stampvol met huishoudelijk afval, maar daartussen, achterin, lagen een paar kadavers.' En als hij de vraagtekens op de gezichten van de kinderen ziet, legt hij uit: 'Dat zijn dode dieren. Naar alle waarschijnlijkheid gaat het om illegaal doodgeschoten dieren hier uit de buurt.'
Er valt een verbaasde stilte in de groep, totdat Victor geëmotioneerd overeind schiet en 'Wat een schoftenstreek!' uitroept.
Yandara steekt gewoontegetrouw haar vinger op en vraagt: 'Hebt u ze gezien, die dierenlijken in de container?'
'En of,' reageert de collega van de agent, 'sommige dieren moeten er al een hele tijd in gelegen hebben. Er hing een kadaverlucht waar je bijna tegenaan kon leunen.'
Amber kijkt vol afschuw naar Diederik en zegt dan wat iedereen denkt: 'Jullie hebben dus in een doodskist met dooie dieren gezeten.'
Melvin begint een beetje nerveus te grinniken. 'Ik dacht nog wel dat het jouw nieuwe deodorant was, Diederik.'
'Hebt u enig idee wat er nu gaat gebeuren?', wil de meester weten.
De agent recht zijn rug en trekt een interessant, ernstig gezicht. 'De karkassen, ik bedoel dus de overblijfselen van de dode dieren, zijn voor onderzoek meegenomen en we zullen een speurtocht starten naar de herkomst. We willen natuurlijk wel weten wie verantwoordelijk zijn voor het illegaal neerschieten van de dieren. En als we die mensen vinden, volgt er natuurlijk een proces-verbaal.'
'Krijgen ze dan een gevangenisstraf?', vraagt Victor hoopvol.
'Misschien wel, in elk geval een stevige boete.'

'Levenslang, hoop ik,' zegt Victor strijdlustig, 'of langer.'
Frederieke denkt meteen terug aan de liefdevolle manier waarop Victor zijn hamster begroef en wachtte tot hij een vlinder zag. Het ontgaat haar niet dat Victor een tobberige blik in zijn ogen heeft. Die uitdrukking op zijn gezicht blijft, ook als de agenten weer zijn vertrokken met de belofte dat ze de meester op de hoogte zullen houden van het recherchewerk.

Diederik en Melvin hebben inmiddels al weer onder de douche gestaan en ze hebben hun haren gewassen met de shampoo die Fabiënne hun heeft gegeven. Dit keer hebben ze schone kleren aangetrokken en hun oude kleding is meegenomen door de kampeerboerderij-beheerder, die maar één oplossing zag: verbranden.
Nu ruiken de twee jongens naar bloemetjes en honing, maar dat verandert niets aan het geplaag van de klas. Iedere keer knijpen de leerlingen hun neus dicht zodra Diederik en Melvin in hun buurt komen.
'Zo, wat ruik jij ranzig, zeg. Zeker in een lijkenkist gezeten?', zegt Jasper.
Ricardo blijkt helemaal een meester in het verzinnen van grappen. 'Melvin, er zit nog een botje in je haar', roept hij. En: 'Hé, Diederik, ik zag net je kleren weglopen op vier zwijnenpoten.'
Nu ineens vindt Diederik plagen niet leuk meer en zijn gezicht voorspelt onweer als hij de laatste en grootste belediging van zijn grote vlam Amber krijgt.
'Diederik, je stinkt nu weer een uur in de wind,' giechelt Amber, 'maar nu ruik je naar meisjesharen. Hahaha, Diederik is een meisje.'

Dát wil Diederik niet: voor een meisje uitgemaakt worden. Hij blaast zich op en gooit het er in één keer allemaal uit: 'Hou toch op met dat getreiter!'
Meester Marius is meteen gealarmeerd. 'Wat gebeurt hier allemaal?'
'Ik kan er niet meer tegen,' jammert Diederik, 'ze lopen me de hele tijd te zieken. Ik kan er toch ook niets aan doen dat ik in die stinkcontainer heb gezeten?'
Frederieke moet haar lippen op elkaar persen om niet meteen los te barsten. Heb je wel eens stilgestaan bij je eigen gesar? wil ze hem toebijten. Nu weet je zelf hoe het voelt om gepest te worden!
Maar dan gebeurt er iets waar ze nooit op had durven rekenen. Amber, die zich kennelijk aangesproken voelt, steekt een priemende vinger in de richting van Diederik. 'Nu vind je pesten ineens niet leuk meer hè, terwijl je zelf altijd de grootste treiterkop van de klas bent. Zelf maak je altijd grapjes over Frederieke en je maakt haar altijd belachelijk.'
'Doe niet zo raar,' reageert Fabiënne, die kennelijk vindt dat ze het moet opnemen voor haar geliefde, 'dat doet hij helemaal niet.'
Maar dat maakt Amber alleen maar kwader. 'En jij past wat dat betreft uitstekend bij Diederik, want jij bent misschien nog wel erger. Nou, je mag hem hebben van mij, want jullie zijn allebei van die pesters.'
Meester Marius steekt zijn beide handen in de lucht. 'Hoho, wat is dat nu voor geruzie en wat zijn dat voor verwijten?'
Frederieke is verbijsterd: heeft de meester dan nooit iets gemerkt van die beledigende opmerkingen van Diederik

en Fabiënne en Wendelyn? De meester is toch niet stokdoof?
'Ik dacht dat het iets tijdelijks was,' zegt juf Annelore zacht, 'ik dacht zelfs dat het wel meeviel, maar ook ik heb mijn vragen over hoe jullie met elkaar omgaan. Waarom de meisjes zo onaardig doen tegen Frederieke dat ze haar de weg naar de wc versperren en zo. Eerst dacht ik dat het onschuldige plagerijtjes waren, maar nu snap ik dat het veel ernstiger is.'
Meester Marius kijkt zo geschokt dat Frederieke bijna medelijden met hem krijgt.
'Is dat waar?', vraagt hij aan niemand in het bijzonder. 'Wordt er zo gepest in mijn klas?'
Frederieke zwijgt nadrukkelijk en kijkt een andere kant op. Ze is wel de laatste die van plan is om daarop te antwoorden.
Dan is het Victor die onrustig begint te draaien en ten slotte in één zin het probleem op tafel gooit: 'De klas denkt dat Frederieke tegenover u heeft geklikt over dat gedoe bij de spoorbaan.'
'Dat heeft ze helemaal niet gedaan!', reageert de meester fel. 'Ik ben telefonisch van jullie onverantwoordelijke gedrag op de hoogte gesteld door die meneer Ballegooijen die er getuige van was.'
Diederik kijkt alsof hij zojuist per ongeluk een vlieg heeft doorgeslikt en Fabiënne doet alsof ze een onzichtbaar pluisje van haar trui plukt.
Eindelijk gerechtigheid, denkt Frederieke; nu weten ze dat ze haar onterecht voor straf hebben getreiterd.
'Schandalig dat jullie Frederieke hebben veroordeeld voor iets wat ze niet heeft gedaan. En al hád ze het

gedaan, dan nóg is dat geen reden om iemand te pesten', zegt de meester. 'Ik kan mezelf wel voor mijn hoofd slaan dat ik niet in de gaten heb gehad dat er zoveel werd gepest. Daar komt nu verandering in. Als ik ook maar iets merk dat niet deugt, krijgen jullie met mij te maken. Ik wil geen klas met etters, maar met spetters. We behandelen iedereen met respect. Geen rare grapjes meer, geen neerbuigende opmerkingen en geen gepest. Diederik, je hebt nu zelf ervaren hoe naar het is als er zogenaamde grapjes worden gemaakt. Dus behandel iedereen zoals je zelf behandeld wilt worden. We praten mét elkaar en niet óver elkaar. Ben ik duidelijk genoeg geweest en hebben we een afspraak?'
De hele klas lijkt behoorlijk onder de indruk van de donderpreek van de meester. Ze knikken allemaal, de één een beetje beteuterd, de ander zelfs opgelucht.
Dan steekt Victor zijn vinger in de lucht. 'Meester, ze lachen om Frederieke omdat zij slimmer is dan wij allemaal bij elkaar.'
'Ja, ze is inderdaad heel pienter', zegt de meester. 'De één is goed met zijn hoofd, de ander kan iets moois maken met zijn handen en weer een ander blinkt uit in sport. Dat is toch alleen maar schitterend? Iedereen in de klas is op zijn eigen manier bijzonder. We hebben allemaal wel iets waar we goed in zijn, maar daarom gaan we elkaar toch niet zitten zieken, niet waar, Diederik?'
'Nou eh, ze weet altijd alles beter en eh ...', hakkelt Diederik.
'Ze wéét het ook echt beter,' zegt Victor, 'ze heeft alles altijd meteen door en ze weet overal antwoord op. Ze is superbegaafd, maar daarom is ze nog wel aardig. Ze is

ook de enige die mij geholpen heeft toen mijn hamster zoek was en toen hij doodging ...' Victor houdt ineens geschrokken zijn mond.
'Je hamster?', vraagt de meester stomverbaasd. 'Welke hamster?'
Dan moet Victor wel alles opbiechten over Johan en de pogingen van Frederieke om het zieke diertje mee te nemen naar een dierenarts. De klas luistert ademloos en de mond van de meester zakt steeds verder open.
'Dus dat waren jullie aan het uitvreten! Luister, jullie hebben Frederieke al bij voorbaat veroordeeld omdat ze anders is dan anderen, maar je ziet het: ze is ...'
'Ze is mijn enige vriendin', vult Victor voor hem in.
Frederieke durft nauwelijks op te kijken als Victor dat zegt, maar in haar hoofd klinken rinkelende bellen en trompetten die aanzwellen tot een juichend muziekstuk.
Mijn vriendin ... Dat heeft nog nooit iemand gezegd.

Nog geen uur later, als ze naar de keuken lopen om hun eigen aardappels te schillen, stoot Fabiënne Frederieke aan en fluistert iets gemeens in haar oor: 'Welke knul neemt nou zijn hamster mee op schoolkamp? Is Victor je achterlijke broertje of zo?'
Wendelyn heeft de achterbakse opmerking gehoord en begint overdreven te lachen.
De meester is meteen gealarmeerd als hij Frederiekes woedende gezicht ziet en hij vraagt ongelovig: 'Is er nu alweer iets?'
Frederieke knapt bijna van boosheid en haar eerste gedachte is woordelijk te herhalen wat Fabiënne over Victor heeft gezegd. Maar ze verbijt zich, ze wil niet dat

Victor hoort wat er over hem werd gezegd ... Ze heeft een beter idee. ‘Niets aan de hand, meester’, zegt ze, terwijl ze met een norse blik het schilmesje in de eerste aardappel steekt.

13 Wraak

Zodra ze haar aardappels heeft geschild, neemt ze het mesje ongezien mee en verstopt het in haar broekzak. Zogenaamd onverschillig slentert ze naar de meisjes-slaapzaal en zoekt, terwijl ze de deur in de gaten houdt, in de kledingberg van Fabiënne en Wendelyn.
Daar zijn ze, de modieuze kleertjes van de prinsesjes: hun roze broeken met de glittershirtjes en de bijpassende frummeltjes. Alles is nog gloednieuw en ongetwijfeld hartstikke duur, en natuurlijk volgens de laatste mode-trend aangeschaft door hun moeders.
Dan neemt Frederieke weloverwogen haar kleine wraak: ze zet het aardappelmesje met de vlijmscherpe punt in de broek van Fabiënne en haalt hem met kracht van boven naar beneden door de stof. Vervolgens jast ze het mesje met een bijna boosaardig genoegen door de glittertruitjes en de andere kledingstukken die de meisjes op de laatste avond van hun kampweek wilden dragen. Het schilmesje haakt zich in de shirtjes en weigert een rechte lijn naar beneden te maken en daarom ramt ze met het mes net zolang door de voorkant van de hemdjes heen tot ze in flarden zijn gehakt.
Hak, hak, hak, doet het aardappelmesje en bij iedere beweging voelt ze hoe boos ze is en hoe verrukkelijk het is om die woede van zich af te gooien.

Ziezo, denkt Frederieke, dat zal ze leren om Victor uit te maken voor een achterlijk broertje.
Alle kwaadheid over de nare opmerkingen, de gemene grapjes en de beledigingen kerft ze in de stof van de kleding en dan beseft ze dat ze niet alleen boos is, maar ook verdrietig. Niet alleen vanwege de vernederende opmerking over Victor, maar ook om de onterechte pesterijen aan haar eigen adres. Ze hijgt ervan en pas als ze haar sloopwerk bekijkt, merkt ze dat er tranen in haar ogen prikken. Bijna buiten adem blijft ze een tijdje op het bed van Fabiënne zitten, met de ravage in haar handen. Het kan haar zelfs niet schelen als ze nu op heterdaad zou worden betrapt met de kapotgemaakte pronkstukken van de meisjes als bewijsstukken in haar handen.
Frederieke veegt de tranen van haar wangen. Dan legt ze de gehavende kledingstukken terug op exact dezelfde plaats waar ze deze had gevonden en mompelt: ‘Zo, gezellig feestje, prinsesjes.’

Na het avondeten zit Victor bij de gedoofde open haard somber voor zich uit te staren, met diezelfde peinzende blik in zijn ogen. Frederieke gaat naast hem zitten en zwijgt met hem mee.
Ik heb wraak genomen, zou ze willen zeggen, wraak voor jou en voor mij, omdat ze ons buitenbeentjes vinden en ons niet accepteren zoals we zijn … en het luchtte nog op ook. Maar ze zegt niets en na een tijdje raadt ze zonder mankeren wat er aan de hand is met haar vriendje. ‘Zit je nog te denken aan die afgeschoten dieren?’

'Dierenleed is het ergste wat er is', zegt Victor, 'en ik kan maar niet geloven dat er zulke vreselijke mensen bestaan die dieren zomaar doodschieten.'
Mensenleed is ook niet leuk, wil Frederieke zeggen. Vergeet die dieren, want ze hebben misschien niet eens gemerkt dat ze werden doodgeschoten. Maar ze houdt wijselijk haar mond en drukt haar schouder even meelevend tegen die van Victor aan.
'Als ik een huisdier zou hebben, zou ik er mijn hele leven voor zorgen', zegt Victor, 'en als het kan, neem ik later een huis vol dieren.'
Frederieke tilt met een ruk haar hoofd op en er komt een opgewonden blik in haar ogen. 'Zullen we vannacht op zoek gaan naar die illegale jagers, jij en ik?' Het idee van een nachtelijke zoektocht door de omliggende bossen is woest aantrekkelijk. Victor en zij samen in het schijnsel van de maan, op hun buik liggend tussen wat struiken en de omgeving afspeurend, is inderdaad het toppunt van een spannende afsluiting van de kampweek. Maar vrijwel onmiddellijk verwerpt ze haar eigen plan; stel je voor dat zij dan per ongeluk worden aangezien voor wild en dat zíj worden doodgeschoten. 'Oh nee, toch maar niet,' zegt ze, 'misschien is dat toch meer een politieklus en de recherche is er nu mee bezig.'
Dan ontstaat er een voorzichtig idee in haar hoofd dat aangroeit tot een fantastisch plan, dat misschien wél haalbaar is.

Meester Marius vindt het een waanzinnig voorstel, wat Frederieke hem voorlegt terwijl ze van enthousiasme bijna voor hem staat te stuiteren.

‘Dus je wilt bij wildvreemde mensen een gratis katje vragen voor Victor, terwijl je helemaal niet weet of zijn ouders wel zo’n haarbal in huis willen hebben?’
‘Ja meester, ik weet zeker dat het Victor dolgelukkig zal maken en dat hij dan niet meer zit te tobben over die dode dieren. Meneer en mevrouw Ballegooijen hebben jonge katjes genoeg, dus ze zullen blij zijn als ze er één een goed thuis kunnen geven. Als Victors ouders een hamster goed vonden, dan kunnen ze een jong katje ook wel aan. Toe nou, meester, alstublieft, laten we dat katje gaan ophalen, voor Victor.’
Juf Annelore heeft er glimlachend naar staan luisteren en zegt: ‘Nou, zo te horen heeft ze het allemaal goed doordacht.’
‘Het wordt steeds gekker deze week’, zegt de meester. ‘Eerst maak ik me zorgen of jij wel leuk mee zult willen doen en nu blijkt dat jij een hartsvriend hebt gemaakt. Ik heb niet eens doorgehad dat jij en Victor zulke goede kameraadjes zijn geworden.’
‘En ook met Jojanneke’, flapt Frederieke eruit. ‘We hebben afgesproken dat ik bij haar ga spelen als we terug zijn. Waarschijnlijk worden we hartsvriendinnen, want we zijn allebei ... eh ... een beetje bijzonder.’
Het is raar, maar de gedachte aan Jojanneke die haar bij het afscheid beetgreep, maakt haar onverwacht blij, zelfs bijna net zo vrolijk als haar idee om Victor weer gelukkig te maken.
‘Dat is fantastisch om te horen’, zegt de meester. ‘Wat vind jij ervan?’, vraagt hij aan juf Annelore.
De juf schiet in de lach. ‘Hetzelfde als jij natuurlijk, Marius. Ik vind het een mooi gebaar van vriendschap.

Frederieke wil een bijzonder iemand een plezier doen; daar verleen je toch zeker graag je medewerking aan?'
Meester Marius sputtert eerst nog wat tegen, maar als hij even later Victors ouders heeft gebeld, heeft hij een grote grijns op zijn gezicht.
'Je raadt het nooit', zegt hij. 'Ze vinden het zelfs een geweldig goed idee, want ze wisten niet eens dat Victor zijn hamster had meegenomen en ze verkeerden in de veronderstelling dat het beestje was ontsnapt uit zijn kooi. Ze hebben dagen gezocht en ze wisten niet hoe ze Victor die onheilsboodschap moesten brengen.'

Niet veel later zit Frederieke achter op de fiets bij de meester, met een klein katje in haar handen, dat opgerold in een handdoek als een warme kruik aanvoelt. Ze houdt het diertje zorgvuldig vast, maar let er goed op dat ze het niet te krampachtig vastklemt. Het katje moet zich veilig voelen en gezond en wel aankomen bij zijn nieuwe baasje.
Meneer en mevrouw Ballegooijen zeiden dat ze zich Victor goed konden herinneren en dat ze zeker meenden te weten dat het diertje een lieve eigenaar zou krijgen. Ze hebben zelfs nog kattenvoer voor het jonge katertje mee gegeven, dat nu in een plastic boodschappentasje aan het stuur van meesters fiets bungelt.
Frederieke kan bijna niet wachten en bonkt dwingend met haar hoofd tegen de rug van meester Marius. 'Trap nou eens wat harder, meester.'
Bij de kampeerboerderij aangekomen, wipt ze van de bagagedrager af en kijkt met een stralende lach naar de meester.

'Nou, ga jij je vriendje maar verrassen', zegt die.
Frederieke loopt naar de woonkamer van de kampeerboerderij, waar de kinderen aan het oefenen zijn voor de bonte avond, morgen. Alsof ze de grootste schat ter wereld naar binnen brengt, zo wandelt Frederieke de woonkamer binnen, met haar jackje nog aan en het slaperige katje in de badhanddoek. Regelrecht loopt ze naar Victor toe en zegt: 'Hier Victor, een cadeautje voor jou.'
Alleen het kopje van de kat is zichtbaar en zijn oogjes knipperen vanwege het plotselinge licht. Verbijsterd steekt Victor zijn armen uit terwijl Frederieke het pakketje poes in zijn armen laat glijden.
'Mauw', doet het katje en het lijkt even alsof hij Victor herkent en hem begroet.
Victors ogen worden groot en in een reflex drukt hij een zoen op het kattenkopje.
'Je moet hem wel een naam geven,' zegt Frederieke, 'want je moet hem natuurlijk wel kunnen roepen als het nodig is.'
Victor kijkt van de poes naar Frederieke, dan weer naar het katje en opnieuw naar zijn vriendin, en dan stamelt hij overdonderd: 'Oh, dankjewel, dankjewel!'
Binnen een paar tellen, als Victor de bandhanddoek voorzichtig heeft opengevouwen, is het diertje het middelpunt van de belangstelling. De klasgenoten verdringen elkaar om Victor heen en iedereen wil het beestje aaien.
'Hoe kom je daaraan,' willen ze weten, 'waar heb je die vandaan?'
'Nou,' begint Frederieke glunderend, 'gisteren zagen

Victor en ik een man die een nest katjes te koop aanbood en als niemand ze zou nemen, dan zou hij ze verzuipen. En toen heeft Victor dit katje uit de armen van de man gered op het moment dat die kerel wilde laten zien dat het hem menens was.'
Heel even is Victor van zijn stuk gebracht, maar dan begint hij spontaan mee te fantaseren. 'Ja, en toen hij achter ons aan kwam, heeft Frederieke hem een optater gegeven.'
Hij krijgt er nog plezier in ook, ziet Frederieke, dus vervolgt ze: 'Toen hebben we vreselijk hard moeten rennen omdat hij achter ons aankwam, en toen ik mijn voet verstuikte, heeft Victor me de hele weg gedragen ...'
'Maar dat geloven we dus mooi niet,' onderbreekt Diederik haar, 'want dan had Victor nu wel een rugaandoening gehad.'
Meester Marius en juf Annelore staan op een afstandje mee te luisteren en lachen om het dwaze verhaal van Frederieke en Victor.
'Pas op, Diederik,' waarschuwt de meester, 'geen nare opmerkingen. Wees blij dat we kinderen in de klas hebben die een rijke fantasie hebben, anders was het maar een saaie boel.'

Op de slaapzaal van de meisjes lijkt het wel kermis, want iedereen schreeuwt door elkaar en de oorverdovende muziek van Amber galmt zwierig de gang op.
Wanneer Frederieke na het tandenpoetsen in haar pyjama de slaapzaal binnenkomt, ziet ze Fabiënne en Wendelyn met de aan flarden gescheurde kleren staan, hysterisch boos.

'Kijk nou, mijn mooiste kleren, helemaal kapotgemaakt', schreeuwt Fabiënne totaal over haar toeren. Haar ogen flitsen naar Frederieke, die haar hele wraakactie eigenlijk allang weer vergeten was. 'Jij hebt het gedaan, hè heks?'
Frederieke trekt een onverschrokken gezicht en zegt: 'Oh, dat zal dat katje wel hebben gedaan, want jonge poezen moeten hun nageltjes nog scherp maken, dus ...'
'Dat is onmogelijk,' gilt Wendelyn met de restanten van haar feestkleren tegen haar borst gedrukt, 'want dat katje is er nog maar net.'
'Misschien was het dan een grotere poes, een grote, boze kattenkop', zegt Frederieke, terwijl ze de nadruk legt op het woord 'boze'. 'Als je grote poezen of hun vriendjes belachelijk maakt, kunnen ze ontzettend kwaad en heel gemeen worden.'
Fabiënne weet voldoende. Ze stormt op Frederieke af en wil haar te lijf gaan, maar op dat moment komt juf Annelore binnen.
'Zet die muziek eens wat zachter en vertel wat er aan de hand is', zegt ze. 'Jullie hebben toch niet weer hommeles met elkaar?'
Fabiënne moet haar aanval abrupt afbreken en als afleidingsmanoeuvre doet ze alsof ze iets van de grond opraapt. 'Nee hoor, juf.' Daarna rolt ze snel de kledingresten op en moffelt ze weg onder haar kussen.
Maar juf Annelore laat zich niet misleiden; ze haalt de meester erbij en allemaal moeten ze op hun eigen bed gaan zitten.
Meester Marius gaat strijdlustig, wijdbeens in het middenpad staan. 'Oké, meiden, wie gaat me uitleggen wat er nu weer aan de hand is?'

Als op bevel tovert Fabiënne een paar dramatische tranen op haar wangen. 'Frederieke heeft onze feestkleding finaal kapotgetrokken. Het is gewoon een wraaklustig kreng.'
'Is dat waar, Frederieke?'
Frederieke knikt. Ze is nog nooit zo zelfverzekerd en rustig geweest, bedenkt ze in die stille seconde, nog nooit zo overtuigd van haar gelijk. 'Ze hebben me belachelijk gemaakt en me getreiterd omdat ik met Victor omga. Ze noemen hem een onnozel sulletje. Maar dat is hij allesbehalve. Ze nemen alleen niet de moeite om te zien hoe bijzonder hij is. En daarom heb ik hun kleren kapotgemaakt, omdat ik wilde dat ze zelf voelen hoe het is als je iets kapot maakt wat mooi is.'
Meester Marius zwijgt een hele tijd en kijkt haar aan met een blik die ze niet van hem kent. Het lijkt wel of hij even iets moet wegslikken, maar dan vermant hij zich. 'Daar kan ik me wel iets bij voorstellen. Jullie niet?'
Sommige meisjes knikken, een beetje aarzelend, hoewel Fabiënne nog steeds moeite doet om een paar neptranen onder haar oogleden uit te persen.
Dan volgt er een lang gesprek. Van de meester moeten ze allemaal iets vertellen over een moment dat ze zichzelf ook niet geaccepteerd voelden en tot ieders verbazing vertelt Fabiënne dan dat ze zelf thuis door haar oudere zus wordt gepest.
'Dan weet je toch hoe het voelt?', zegt de meester zacht.
Fabiënnes lip trilt als ze toegeeft dat ze Frederieke pest omdat ze eigenlijk jaloers is op het feit dat Frederieke altijd zo makkelijk leert, en op dat ogenblik zijn haar tranen echte verdriettranen en zegt ze zelfs 'sorry'.

Wie had dat gedacht, denkt Frederieke, dat Fabiënne misschien wel een minderwaardigheidscomplex heeft. Ze krijgt bijna medelijden met haar en voor ze het kan voorkomen zegt ze: 'Het spijt me dat ik jullie kleren heb vernield.'
'We hebben nog nooit zo fijn gepraat', zegt de meester. 'En weet je wat? Praten lost meer op dan ruziemaken.'
Die nacht slaapt Frederieke haar verrukkelijkste slaap; ze heeft Victor blij gemaakt en haar grootste plaaggeesten uit de klas begrijpen nu verdraaid goed dat ze niet met haar moeten dollen.

De volgende dag zijn de gebeurtenissen rond de vernielde kleding onderwerp van ieder gefluisterd gesprek. Ricardo en Melvin drentelen om Frederieke heen om haar toe te vertrouwen dat ze het best stoer vinden.
'Maak maar liever geen ruzie met Frederieke,' zegt Ricardo tegen Diederik, 'want ze lust je rauw.'
Diederik doet alsof het hem volledig koud laat, maar Frederieke merkt wel dat hij haar ontloopt en haar af en toe zelfs met ontzag van opzij gadeslaat. Dat had hij zeker nooit verwacht, dat de jongens uit de klas haar stoer vinden.
Victor heeft zijn katje inmiddels Kareltje genoemd en met het beestje op zijn schoot is hij plotseling ieders beste vriend.
Meester Marius bekijkt het allemaal met een tevreden glimlach. 'Toen je uit het nestje er een moest kiezen, wist je meteen dat het deze moest zijn', zegt hij als hij naast Frederieke is gaan zitten. 'Waarom heb je juist dit poezenbeestje uitgekozen?'

'Omdat deze verlegen is en dus het meest op Victor zelf lijkt', antwoordt ze zonder aarzeling.
'Is dat bij mensen ook zo, dat je op elkaar moet lijken om vrienden te kunnen zijn?'
Frederieke moet even nadenken voor ze het antwoord weet. 'Nee, een vriend kan ook helemaal anders zijn', zegt ze terwijl ze naar Victor kijkt, 'en dat maakt het juist zo spannend en leuk.'
De meester geeft haar een waarderend klapje op haar knie. 'Frederieke, je bent misschien wel een krengetje, maar wel een schat van een kreng. Volgens mij heb jij deze week de echte schat gevonden.'
Frederieke moet grinniken, want ze begrijpt precies wat de meester bedoelt.

'Dan is het nu tijd voor popcorn en drinken bij de open haard', zegt meester Marius, 'en zelf meegebrachte muziek voor de muziekliefhebbers onder ons, want dansen is niet verboden.'
Binnen de kortste keren verandert de gezellige zithoek bij de open haard in een flitsende discotheek.
En dan, tot ieders verbazing, stapt ineens Jojanneke de kampeerboerderij binnen. Ze heeft een opgewonden blos op haar wangen en rent meteen op Frederieke af.
'De meester heeft gebeld', zegt ze. 'Hij vond dat ik de bonte avond niet mocht missen en ik blijf zelfs slapen vannacht.'
'Nu kan de avond helemaal niet meer stuk', antwoordt Frederieke, terwijl ze Jojanneke in haar hand knijpt. 'Ik heb je zo waanzinnig veel te vertellen!'
Ineens – onder gejoel van de jongens – maken Fabiënne

en Wendelyn hun spetterende entree op de dansvloer. In hun kapotgesneden feestkleding, als echte mannequins, en ze beweren dat ze de nieuwste mode op de *catwalk* introduceren: de katkrabmode.
Frederieke moet toegeven: ze zien eruit als een paar wilde straatkatten met die snorharen die ze op hun gezicht hebben getekend. En ze hebben er bij hun klasgenoten nog succes mee ook.
Amber blijkt nog andere muziek bij zich te hebben dan Nederlandstalige liedjes, en Melvin en Ricardo dansen een vreemdsoortige hiphop die er zo aantrekkelijk uitziet dat ze allemaal de danspassen van de jongens willen leren.
Fabiënne en Wendelyn doen samen vreselijk hun best om zich een weg te dansen naar Diederik en Jasper, maar Diederik kronkelt op een potsierlijke manier om Amber heen en hij heeft niet eens in de gaten dat Fabiënne zich voor hem zo uitslooft.
Maar Amber heeft natuurlijk alleen maar oog voor Ricardo, die die avond de ster onder de dansers is. Hij blijkt zelfs een beetje te kunnen breakdancen en draait razendsnelle pirouetten op zijn rug.
'Moet je kijken wat grappig', zegt Frederieke, terwijl ze Victor aanstoot. 'Fabiënne is op Diederik, maar Diederik is op Amber, en Amber is weer op Ricardo. Het zijn net allemaal treinwagonnetjes die achter elkaar aanrijden en elkaar nooit te pakken krijgen.'
'Dat jij dat allemaal zo goed in de gaten hebt!', zegt Victor, terwijl hij haar bewonderend aankijkt. Intussen aait hij Kareltje, die ondanks de herrie op zijn schoot in slaap is gevallen. 'Wil jij niet dansen?', vraagt hij.

Frederieke schudt haar hoofd. 'Daar ben ik niet zo goed in, weet je nog?'
Maar zelfs al zou ze de sterren van de hemel kunnen dansen, ze zit liever gezellig samen met Jojanneke aan de ene kant en Victor aan de andere kant, dicht tegen hen aan. Hoezo geen vrienden? Ze heeft er twee!
Inmiddels wordt de muziek nog dwingender en zelfs meester Marius wordt er weer helemaal jeugdig van. Voor ze weet wat haar overkomt, sleurt hij de tegenstribbelende juf Annelore de dansvloer op.
'Ik ken al die ouderwetse danspassen niet, hoor,' zegt de juf lachend, 'want toen ze zo raar dansten, was ik nog niet geboren.'
Frederieke en Victor volgen de dansverrichtingen van hun juf en meester met hun ogen en samen schateren ze het uit als meester Marius na een te overdreven grote stap uit zijn broek scheurt.
'Hahaha, meester, ik zie je onderbroek,' lacht Victor, 'en het is nog een witte ook!'
Als de meester hijgend van inspanning neerzakt op de comfortabele zitbank zegt hij: 'Wat een spetters! Zo zie ik mijn klas nou het liefst. Nou, Frederieke, zeg eens eerlijk, wat denk je ... was dit een waardeloze kampweek of misschien toch niet?'
'Mwah, valt wel mee', doet ze expres knorrig, maar in haar hart is er weer dat vrolijke poppetje dat, met twee armen in de lucht gestoken, opspringt en uitbundig met de muziek meedanst.

Over de schrijfster

De schrijfster van dit boek heet Reina ten Bruggenkate en ze is geboren in 1950. Ze schrijft graag verhalen die spannend zijn en grappig en die je het gevoel geven dat je zo'n avontuur zelf had kunnen beleven.
Vroeger was ze journaliste. Het schrijven van boeken is haar tweede beroep. Daar is ze pas mee begonnen toen ze zelf kinderen had gekregen. 'Ik ontdekte toen hoe veel kinderen meemaken,' zegt ze, 'thuis, op school, in hun contacten met andere kinderen en volwassenen.'
Ze vindt lezen belangrijk omdat het kinderen de kans geeft even in een andere wereld te stappen. 'Door te lezen kun je oplossingen leren en merk je dat andere kinderen dezelfde gevoelens hebben als jijzelf. Een goed boek sla je met een zucht dicht.'

Over het boek *Hoezo geen vrienden?* zegt de schrijfster:

Heb je ook weleens het gevoel dat je een buitenbeentje bent? Of dat niemand je begrijpt en dat je zeker weet dat de anderen je niet aardig vinden? In *Hoezo geen vrienden?* is Frederieke wel heel stoer en denkt ze dat ze niemand nodig heeft, maar ze ontdekt dat ze vrienden kan maken door zelf een goede vriendin te zijn. Ze leert tijdens een kampweek, waar ze vreselijk tegenop zag, dat niet iedereen hetzelfde hoeft te zijn. Sterker nog: ze ontdekt dat het juist leuk is om allemaal verschillend te zijn. Lees het boek en denk na over de vraag: op wie van de kinderen lijk ik eigenlijk?

Om over na te denken ...

Je hebt het boek nu gelezen. Hieronder staan nog een paar vragen waar je over na kunt denken. Je kunt de antwoorden ook opschrijven. Dat is vooral handig als je een boekbespreking wilt maken.

Wat zijn de verwachtingen van Frederieke als ze op kamp gaat? Komen die verwachtingen uit?

Waarom zouden Melvin en Ricardo zo gevaarlijk doen op het spoor?

Waarom vertelt Frederieke niet aan de juf of meester dat ze zo gepest wordt?

Wat vind je ervan dat Frederieke een paar keer probeert weg te vluchten van het kamp?

Waarom doen Fabiënne en Wendelyn en Diederik zo vervelend tegen Frederieke?

Waarom laat Frederieke haar plaaggeesten niet achter in de container?

Begrijp je waarom Frederieke de kleren van Fabiënne en Wendelyn aan flarden snijdt? Wat vind je ervan?

Hoe denk je dat het verder gaat als de kinderen weer gewoon op school zijn? Is er iets veranderd?

Nog wat tips voor een boekbespreking
(Of een klassengesprek)

Als je een boekbespreking wilt houden, vertel dan eerst hoe dit boek heet, wie het heeft geschreven en wie de tekeningen maakte. Daarna vertel je waar het boek over gaat (in dit geval over een meisje dat hoogbegaafd is en gepest wordt) en wie de hoofdpersonen zijn.
Vertel er ook bij waarom de hoofdpersonen doen wat ze doen (bijvoorbeeld waarom Frederieke probeert te ontsnappen). De antwoorden op de vragen op de vorige bladzijde kunnen je hier goed bij helpen.
Lees een stukje voor dat jij erg spannend vindt of dat precies laat zien wat voor boek dit is. Vertel daarna wat je zelf van het boek vindt (bijvoorbeeld spannend, mooi, saai, moeilijk) en vertel er ook goed bij waarom je dat vindt.

Wanneer meer kinderen dit boek gelezen hebben, kun je bijvoorbeeld ook een klassengesprek houden over 'anders' zijn:

Wanneer is iemand normaal en wanneer niet? Wat is normaal? Bestaat 'normaal' zijn eigenlijk wel?
Hoe zou het zijn om hoogbegaafd te zijn? Zou je dat zelf willen zijn?
Wat kan nog meer een reden zijn om je 'anders' te voelen en gedragen dan veel klasgenoten?
Waarom worden mensen die anders zijn soms gepest?
Zou het leuker zijn als iedereen hetzelfde was? Hoe zou de wereld er dan uitzien?